Я — несокрушимая оптимистка. И не то чтобы жизнь очень уж баловала меня, нет, хватало всякого, и страшного, и муторно-тяжелого, словом, все как у людей, но, видимо, оптимизм — это что-то биологическое! Как бы паршиво ни было, я всегда знаю — все пройдет, обойдется, все будет хорошо, и, как ни странно, очень часто оказываюсь права. Надо заметить, что с годами, а мне уже сильно за сорок, у меня замужняя дочь, оптимизм мой не убывает, а даже наоборот. И десять лет перестройки ничуть меня не сломили, хотя порой бывало ой как туго! Но все будет хорошо, поверьте мне!

Вот и у меня мало-помалу все наладилось (тьфу-тьфу, чтоб не сглазить!), и на днях я лечу в Тель-Авив, где уже два года живет моя дочка, в неполных восемнадцать лет выскочившая замуж и махнувшая с мужем в Израиль. Я растила ее одна, мы с нею были очень близки, и вдруг это дитя любви выкинуло такой фортель! Может, она боялась, как мама, остаться одна, без мужа?

Когда я вышла за ворота посольства с визой в

паспорте, меня охватило такое нетерпение, что хоть головой о стенку бейся! И ведь даже поделиться не с кем! Три часа дня, все подруги на работе! Позвонить, что ли, Юре? Но он вряд ли меня поймет, да и не люблю я звонить ему на работу, в его кабинете вечно кто-то есть, и он говорит со мною приветливо-вежливым голосом, как с посторонней. Что же делать, куда девать себя в этом состоянии? Билет! Нет, за билетом я пойду завтра с самого утра, так меня научили. Подарки! Ну конечно, мне же надо купить кучу подарков. И Дашке (это моя дочка), и друзьям, которых у меня в Израиле не так уж мало. Пока не было визы, я из суеверия ничего не покупала. Ведь нам, советским людям, все кажется, что нас обязательно куда-то не пустят, откажут, не дадут. К черту эти стародавние комплексы! Меня пустили, я еду к дочке, и не куда-нибудь, а в землю обетованную, и буду в марте купаться в Средиземном море, увижу чудеса Израиля, поеду в Иерусалим, поклонюсь Гробу Господню, и вообще... Ура!

Я понеслась по магазинам, а внутри меня все пело. Я еду! Я целый месяц проведу с Дашкой! Ведь мы два года не виделись. Одну десятую ее жизни, с ума сойти! Но еще несколько дней — и мы будем вместе! Только бы достать билет! Как же теперь дожить до утра?

Часов в семь, еле живая, я притащилась домой и рухнула на диван. До чего же меня утомляют магазины! Раньше они утомляли пустотой и очередями, а теперь — проблемой выбора и жуткими ценами. Но черт с ними, зато я почти все купила. Кажется, осталось купить только сало — наши правоверные евреи на исторической родине изнывают без сала, — но это в последний день. Боже мой, скорее, скорее, просто нет сил терпеть!

К счастью, начал трезвонить телефон, все хотели знать, как у меня дела с визой, когда я лечу и т. д. А в девять наконец-то пришла моя подруга Алевтина, с которой мы дружим с детства, жить друг без друга не можем, и так случилось, что в последние годы даже живем в одном доме. Вот уж с нею я отвела душеньку! Вывалила на нее все свое нетерпение, все мечтания и восторги!

— Да, чуть не забыла! — воскликнула вдруг Алевтина, хватаясь за очередную сигарету. — Васька (это ее дочь Василиса) купила Дашке в подарок роскошный халат, вернее пеньюар, синий, в цвет глаз. Красотища!

— Поцелуй от меня Ваську, когда увидишь!

— Да, она еще сказала, если будут сложности с проводами, она тебя отвезет.

— Ой, как хорошо, а то я так не люблю просить Юрика. Может, он, конечно, сам предложит, тогда другое дело.

— Вообще-то мог бы. Но если не проводит, не вздумай привозить ему подарки, а то я тебя знаю, рассусолишься — ах, бедный, он всей этой красоты не видит, ах, как жалко, ах, ох... Небось на обратном пути только и будешь думать, что бы ему такое вкусненькое приготовить.

— Да ладно тебе про обратный путь, я еще и туда-то не знаю, когда улечу.

— Слушай, а подарки? Ты хоть что-нибудь уже купила?

— Да почти все!

— Ох, а мне еще Любашке надо что-нибудь подыскать! Ладно, давай показывай свои покупки.

Наутро моего оптимизма еще прибыло. Билет я купила как белая женщина — без очереди, без блата, без переплаты и даже без хамства. Какое там! Меня в агентстве усадили, спросили, куда хочу лететь, когда, на какой срок и т. д. Уже через 10 минут я вышла оттуда с билетом и совершенно счастливая. Как мало иной раз нужно для счастья — не обхамили и дали то, что требовалось. А еще говорят, у нас ничего не изменилось!

Итак, через три дня я лечу! Скорее домой, собирать вещи! За три дня? Да, я люблю все делать заранее. На вокзал я всегда приезжаю, когда поезда еще и в помине нет. Но, по-моему, лучше подождать на вокзале, чем сломя голову нестись за поездом. Как-то, знаете ли, спокойнее. И к приходу гостей я тоже готовлюсь заранее. Они приходят — все уже на столе, я сама при полном параде, и им приятно, и мне тоже. А то, бывает, придешь в гости и тебя тут же отправляют на кухню резать салат. Брр! И потом, в спешке непременно что-нибудь да забудешь.

Наконец все готово, вещи собраны, и сегодня

ночью — ура! — я улетаю. Провожает меня, конечно же, Васька. Юрий Петрович, как всегда, ужасно занят. Ну да Бог с ним, после того как Дашин отец бросил меня, я уже не жду от мужчин ничего, рассчитываю только на себя и друзей. Говорят, мы живы любовью. Да ничего подобного. Мы живы только дружбой. Разве можно рассчитывать на любовника? Ни в коем случае! А на друга? Железно! Мой собственный любовник всегда готов прийти на помощь своей подруге, а мне — нет. Может, все дело в том, что подруга — это нечто легальное? А может, ему просто лень и он прекрасно знает, что я и без него обойдусь?

Но меня опять занесло. Итак, через полчаса, если все будет нормально, не спустит колесо, не застрянет лифт и т. п., мы выезжаем. Алевтина, разумеется, едет меня провожать. «Чтобы Ваське не скучно было возвращаться одной» — так объяснила она эту сентиментальную акцию. Она вообще жертвенная натура, моя Алевтина.

Звонит телефон. Я хватаю трубку. Юра.

— Кирочка, — бархатным голосом произносит он, — я хочу еще раз пожелать тебе счастливой поездки.

— Это откуда же ты звонишь в одиннадцать вечера? — ехидно интересуюсь я. — Неужто из автомата?

— Как же, попрется он ночью к автомату, этот барин! Жди! — ворчит Алевтина.

— Нет, я сейчас один в квартире, — простодушно объясняет мой любимый. — А у тебя там, кажется, кто-то есть? Наверное, Аля?

— Конечно, она меня провожает.

Юра предпочитает не заметить некоторого нажима в моем тоне и как ни в чем не бывало желает мне всего наилучшего.

Вообще-то он меня любит, я знаю, только в меру своих возможностей, которые, увы, не так уж велики. Он немолод, много работает, на меня времени у него остается мало, но когда Дашка уехала и мне было тяжко на первых порах, он очень меня поддерживал, и я ему благодарна. Я ведь по-своему тоже его люблю, а может, это громко сказано, но так или иначе, а я привязана к нему. Я прощаюсь с ним без обычной нежности, но он, вероятно, списывает это на присутствие Алевтины.

Какое кошмарное слово «накопитель»! И почему нас надо накапливать? Чего ради?

Чтобы не поддаться клаустрофобии, начинаю разглядывать попутчиков. Время позднее, самолеты компании «Эль Аль» летают глубокой ночью, что не слишком удобно, однако, говорят, у них самолеты надежней, а я, честно признаться, побаиваюсь летать. Да и сервис у них якобы неимоверный. Что ж, посмотрим! Напротив меня сидит мужчина лет под шестьдесят. Интеллигентное приятное лицо, усталое и доброе. И в то же время есть в этом лице что-то очень мужское, что-то, от чего я вся подбираюсь и лезу в сумочку за пудреницей. Идиотская привычка! Смотрюсь в зеркальце — кошмар! Под глазами круги от бессонных ночей — последние три ночи я совсем не могла спать от нетерпения. Все мои сорок с немалым хвостиком сразу заметны, хотя обычно я выгляжу моложе своих лет. Но тут же я гордо решаю, что плевать хотела на всех мужиков, хватит, пора и честь знать. Решительно убираю пудреницу. Очень нужно! Небось сейчас явится его супруга. Я так и вижу ее — ухоженная дамочка лет за пятьдесят. Но нет, никакой дамочки. Краем глаза слежу за ним — надо же как-то отвлечься от идеи «накопления». И по выражению его лица я вижу, что он прекраснейшим образом понял все мои манипуляции. И смотрит на меня с затаенной усмешкой и, кажется, с одобрением. Интересно, что он во мне одобряет? Я верчу головой, делая вид, что разглядываю других пассажиров, а сама из-под ресниц разглядываю его. Это же игра! Что ж, недурное начало путешествия. Он хоть и сидит, видно, что высокий. Широкие плечи и густые темно-седые волосы. Глаза светлые, серо-голубые, и какая-то в них искорка, которой — ей-богу же! — не было пять минут назад. Подумать только! Я вновь подбираюсь и быстро достаю из сумки газету — так удобнее за ним наблюдать. Старая дура, говорю я себе. Но ведь это же интересно, сама себе отвечаю я. Он тоже пристально смотрит на меня, без всяких уловок. Похоже, я ему приглянулась, хотя вид у меня, по-моему, жуткий. Честно признаюсь, он мне тоже нравится... И тут объявляют посадку. Все моментально сбиваются в кучу, и я теряю его из виду. Несколько шагов по какой-то трубе, и вот я уже в самолете. Улыбающиеся стюардессы рассаживают пассажиров. Ага, вот и мое место. С ума сойти — он уже сидит у окна. В голове у меня проносится, что, с одной стороны, это хорошо, а с другой — не очень. Я рассчитывала немного поспать и мысленно подготовиться к встрече с Дашей, а теперь не больно-то поспишь рядом с таким. Вдруг я во сне открою рот и вид у меня будет глупейший или, не дай бог, начну храпеть! Вот ужас-то! Нет, придется взять себя в руки и не спать. Ничего, отосплюсь на том свете! Он с милой улыбкой — ах, какая улыбка! — предлагает мне сесть к окну, если я хочу. Я великодушно отказываюсь. Очень надо! Ночью все равно ни черта не увидишь, а выбираться придется через него, если приспичит. Глаза у него смеются, такое впечатление, что он читает мои мысли. Сажусь, сразу пристегиваю ремень. Он тут же обращается ко мне:

— Давайте знакомиться, как-никак нам вместе лететь больше трех часов. Викентий Болеславович Корблинский.

— Кира Кирилловна Мурашова.

— Кира Мурашова? Вы часом не художница? Боже, вот это слава!

— Я художница, но откуда вы меня знаете? Я не так уж знаменита.

— Вы иллюстрируете детские книги?

— Да.

— Я покупаю и читаю книжки своим внучкам и всегда обращаю внимание на иллюстрации. И ваши мне ужасно нравятся, в них много юмора, для детских книг это важно.

— И не только. Попробуй у нас прожить без чувства юмора... Но у вас, похоже, с этим все в порядке.

— Да вроде бы... А куда вы направляетесь, в Тель-Авив?

— Да, а вы?

— В Реховот. У меня там сестра. А у вас кто в Тель-Авиве?

— Дочка.

— Боже, сколько же лет вашей дочке?

— Двадцать.

— Не верится что-то. Уж больно вы молодо выглядите.

Врет, подлюга, но приятно!

Тем временем самолет уже начал взлетать. Красивые стюардессы, ни слова не знающие по-русски (идиотизм, неужели в Израиле мало красивых девушек, говорящих по-русски? Или это нарочно делается?), разносят напитки со льдом и орешки. Уже приятно. Вообще, славное начало путешествия — сидишь себе со стаканом ледяного грейпфрутового сока и мило беседуешь с очаровательным спутником, который к тому же знает тебя как художницу. Во сне не приснится! Кстати, сна ни в одном глазу, хотя уже почти два часа ночи. Интересно, кто он такой? Если ТТ, то я пропала. ТТ на нашем с Алевтиной языке означает «тихий технарь». Мы обе уже давно пришли к выводу, что для жизни и любви годятся только тихие технари. Тихий технарь в нашем понимании — умный мужик без художественных претензий. Уж слишком часто мы с нею обжигались на художественной интеллигенции, а посему — да здравствует техническая! К тому же я лично предпочитаю не понимать то, чем мужчина занимается. Так легче поверить в его значительность.

— Простите, а кто вы по профессии?

— Архитектор.

Архитектор? Интересно, это как считается, технарь или нет, ведь архитектор — это почти художник, но, с другой стороны, если архитектор вполне может быть художником, то художник архитектором — нет. Тут нужно еще техническое образование, следовательно, его можно отнести к технарям. Но тихий ли? Впрочем, в его возрасте уж наверное тихий, внучкам книжки читает...

Слово за слово, и мы уже болтаем «не покладая языка», как говаривал мой отец. Такое ощущение, будто мы знакомы сто лет. Тем временем нам приносят то ли ужин, то ли завтрак, не поймешь. Вкусно и занятно. Мой сосед весьма галантен. Не придерешься. Смотрю на часы — два с лишним часа пролетели совсем незаметно. Надо бы наведаться в хвост самолета. Давно пора. Смотрю на себя в зеркало — ужас! Пудра осыпалась, помада съедена, тон облупился. Ну и рожа! Хорошо бы умыться, но тогда потечет тушь. О, да здесь полно всяких салфеток, можно спокойно протереть лицо и освежиться. Плескать в лицо водой — аэрофлотовский анахронизм. А тут знай наших! Привожу себя в порядок, но тон решаю не накладывать, а то опять облупится чего доброго. Главное, чтобы глаза блестели, а они, надо заметить, блестят себе! Викентий... Интересно, как его называют — Кеша или Вика? Викентий, Жукентий... Жукентий — это мой обожаемый кот, оставленный с Алевтиной. Наверное, он поляк, — не кот, разумеется, а архитектор.

Возвращаюсь на свое место. Викентий сидит как приклеенный. Надо же, до чего крепкий мочевой пузырь... А может, у него трудности с мочеиспусканием, да нет, похоже, он вполне хорошо себя чувствует. Господи, что только не лезет в голову бабе в моем возрасте! Особенно хорошие мысли для начала романа... Какого романа, окстись, матушка, тебе ближе всего к пятидесяти, одергиваю сама себя, но ведь теперь все возрастные представления изменились, а почему бы и нет, вон Алевтина уже полтора года пребывает в состоянии жгучего романа, да и у меня самой вроде как роман с Юрой, правда, от этого романа уже попахивает плесенью, ему явно не хватает воздуха. Алевтина утверждает, что я сама виновата — слишком хорошо его кормлю. «Ясное дело, — говорит она в ответ на мои жалобы, — если так мужика кормить, он только и сможет, что доползти до койки!» Впрочем, я же решила в этой поездке не думать о прошлом. Ого! Я уже отправила

Юру в прошлое? Не слишком ли быстро, Кира Кирилловна?

Тут подходит стюардесса с горячими салфетками — с ума сойти! Хорошо, что я стерла тон, а то сейчас имела бы вид! С наслаждением прикладываю салфетку к лицу. Как приятно! Сразу чувствуешь себя освеженной! Теперь раздают бланки деклараций. Лезу в сумку за ручкой. О черт! Ручка потекла, и рука у меня вся черная. Какая гадость! Хорошо еще не на костюм! Викентий ахает и помогает мне вытереть руку, не жалея на это даже своего платка. Подбегает стюардесса, что-то лопочет на иврите, притаскивает кучу салфеток, уносит протекшую ручку и провожает меня к умывальнику. Но где там! Разве эти чернила так отмоешь! Вот незадача. Приеду к дочке с черной лапой. Поделом тебе, голубушка, уж больно ты занеслась! Это чтобы жизнь медом не казалась.

Выхожу и сталкиваюсь с Викентием. Значит, он тоже живой человек. Смущенно улыбнувшись, он скрывается в сортире. Улыбка у него прелестная.

Интересно, спросит он мой телефон в Тель-Авиве, захочет ли увидеться? Если нет, я не расстроюсь, я не расстроюсь, я не расстроюсь.

— Кира Кирилловна, простите мою назойливость, но не могли бы мы встретиться в Тель-Авиве? Мне так понравилось болтать с вами.

Наверное, это можно счесть за комплимент.

— Быть может, вы дадите мне телефон вашей дочери?

— А почему бы и нет?

И я, разумеется, дала ему Дашин телефон.

Наконец объявили посадку. Сердце у меня забилось в нетерпении: еще полчаса, и я увижу Дашку! Викентий с его улыбкой сразу как-то поблек. Вероятно, он понял мое состояние и больше не лез с разговорами. Только когда самолет уже катил по посадочной полосе, он сказал:

— Кира Кирилловна, давайте сейчас попрощаемся, а то в аэропорту будет суета и может выйти какая-нибудь неловкость. Поверьте, мне было необыкновенно приятно с вами познакомиться, и я очень надеюсь на продолжение этого знакомства. Спасибо за приятнейшую беседу, и всего самого лучшего. Позвольте поцеловать вашу руку. Всего вам доброго. Я непременно позвоню.

Какая речь, какое воспитание!

В аэропорту Бен-Гурион все процедуры, пограничные и таможенные, заняли от силы пять минут, это вам не Шереметьево. И вот уже я хватаю с транспортера свои сумки и мчусь в направлении выхода. Черт, вот дура, и почему я не взяла тележку, как все нормальные люди? Сумок у меня четыре, а руки только две. Но тут кто-то вдруг выхватывает у меня сумки. Викентий!

— Кира! Давайте сюда ваши вещи!

Он укладывает мои сумки на свою тележку. Предусмотрительный товарищ!

— Ой, спасибо вам, а то я что-то сдурела!

— Немудрено, — отвечает он.

Интересно, что он имеет в виду? Вдруг я слышу истошный крик:

— Мамочка! Мамуля! Я тут!

Дашка! Она ждет за барьерчиком, прыгая от нетерпения, — моя школа! Ох, какая же она красивая! Я со всех ног кидаюсь к ней, совершенно забыв о вещах и о Викентии. Мы душим друг друга в объятиях. Потом отстраняемся и придирчиво оглядываем друг друга.

— Дашка, как ты похорошела!

— Мамуля, а ты совсем не изменилась. Как же я по тебе соскучилась! Что это у тебя с рукой?

— Кира Кирилловна, вот ваши вещи, — слышу я голос Викентия.

— Ой, спасибо вам! — Мы с Дашкой хватаем сумки с его тележки.

— Всего вам доброго, — говорит он и вежливо удаляется.

— Мамуля, это что, новый хахаль? — интересуется Дашка.

— Да какой там хахаль, просто попутчик.

— А по-моему, он на тебя глаз положил, — определяет с ходу моя дочка. — Наверное, ручка в самолете потекла! — догадывается она. — Ну, не беда, отмоем!

— Дарья, а где твой муж? Куда ты его девала?

— Он на неделю уехал на Кипр. Гастроли.

Зять у меня виолончелист. Как здорово, целую

неделю мы будем с Дашкой вдвоем. Успеем насладиться друг дружкой.

— Мамуля, тебя все так ждут, тетя Люба просто с ума сходит, хотела ехать тебя встречать, но я ее не взяла, сказала, что сегодня ты будешь только моя, да, мамуля?

— Да, моя девочка, конечно!

— Ладно, мамуля, пошли, я на машине.

— У тебя своя машина?

— А разве я не писала, что купила машину? Нет? Она хоть и не новая, но хорошая, «Хонда». Вон, видишь, беленькая, вторая справа!

Наконец мы садимся в машину и едем. Я смотрю только на Дашку, не могу налюбоваться. До чего же хороша моя девочка! Смуглая, темноволосая, с огромными синими глазами. Глаза у нее точь-в-точь как у отца. Как же я когда-то сходила из-за него с ума, как хотела в дочке его повторения! К счастью, она похожа на него только внешне, а характером она пошла в меня. А он даже и не подозревает, что у него есть такая дочь!

Вдруг Дашка тормозит и съезжает на обочину.

— Мамуля, дай я тебя еще поцелую!

Мы обнимаемся и ревем в три ручья.

— Дарья, ты чего ревешь?

— А ты чего ревешь?

— А ты чего?

— Я от счастья.

— И я от счастья!

Мы уже хохочем как полоумные.

— Дарья, ну как ты?

— Все хорошо, мамуля, ты ж меня знаешь, я вся в тебя — оптимистка. Да и вправду все нормально, Данька работает в неплохом оркестре, его там ценят, собирается организовать свой квартет, я тоже работаю, мне нравится, так чего еще желать!

— А учиться?

— Да у меня с языком еще не так хорошо, но через год, если все будет нормально, конечно, попытаюсь.

— А как насчет детей?

— Вот с этим мы пока решили подождать, надо сперва встать на ноги покрепче, да я еще успею, мамуля, мне же только будет двадцать. И вообще у меня все хоккей, и в личной жизни, и в общественной, так что кончай с мамскими вопросами! Давай лучше смотри в окно, как-никак едешь уже по земле обетованной. Как, мамуля, решим — сделаем сейчас небольшой кружок по городу или сперва домой?

— Давай лучше домой, я что-то притомилась.

— Это от чего же? От флирта с этим вежливым дядечкой?

— Да что ты, какой там флирт! Просто я как получила визу, так меня начало колотить от нетерпения, я даже спать не могла.

— Хорошенькое дело! Ты что, спать сюда приехала? Ничего не выйдет, я взяла отгул на неделю, чтобы побыть с тобой, а ты спать вздумала?

— Ну ладно, ладно, на том свете отосплюсь. Но хоть душ принять и переодеться ты мне позволишь?

— О, это сколько угодно! Мамуля хочет потрясать Тель-Авив туалетами? Так имей в виду, тут все в основном ходят в шортах и майках независимо от веса и возраста. Правда, это ближе к лету.

— Дарья, скажи-ка, почему это дома тут какие-то обшарпанные?

— Так мы же, мамуля, олим, мы не можем жить в богатых кварталах, но ничего, не дрейфь, квартирка у нас что надо, и вообще здесь можно гулять хоть всю ночь и ничего не бояться, не то что в вашей Москве.

— Да, с ночными прогулками у нас не очень, но зато если бы ты видела, как Москва изменилась, все время на каждом шагу открываются новые магазины, внутри и снаружи совсем западные, с большими деньгами можно купить все что душеньке угодно.

— А как у тебя с деньгами?

— Ну, раз к тебе приехала, значит, не так уж плохо.

— Заняла небось?

— Ни копеечки! Ты же знаешь, как я ненавижу долги! Нет, просто я оформляю детскую серию в одном богатом издательстве. Они отлично платят, ценят меня, и ежели не прогорят, то можно жить и не тужить.

— Значит, мамуля сумела вписаться в новые условия, как говорят по вашему телевидению.

— Значит, сумела.

— Ну ты у меня вообще молодчина! Смотри, вон

видишь серый дом, вон там, где белье висит? В этом доме тетя Люба живет.

— Ой, Любашка, как там она?

— Она уже бабушка.

— Знаю, знаю, даже фотографию внука видела.

Люба — моя подруга еще с первого класса. Она уже четыре года в Израиле и на первых порах очень помогла моей Дашке.

— Ну вот мы и дома!

Дом четырехэтажный, стоит в тихом переулке, в глубине небольшого садика. Все чистенько, аккуратно.

— Видишь, мама, как мы здорово устроились, тихо, а до Алленби всего пять минут.

— Алленби — это что?

— Самая торговая улица, рай для туристов из России.

По довольно крутой лестнице поднимаемся на третий этаж.

Дашка отпирает дверь, и мы сразу попадаем в комнату, никаких прихожих. Очень просторно и уютно.

— Ой, Дарья, как здорово!

— Вот, мамуля, а еще есть три спальни и кухня! Квартирка недешевая, но пока тянем!

Квартира мне очень нравится, тем более что всю ее опоясывает балкон, вернее, галерея, сейчас, правда, закрытая ставнями.

— Знаешь, мамуля, тебе здорово повезло с погодой, вчера лил проливной дождь, а сегодня просто благодать!

Что верно, то верно: на улице градусов двадцать, легкий ветерок, мечта, а не погода!

— Мамуля, что у нас сначала — помывка или завтрак?

— Помывка, конечно, помывка!

— Вот и хорошо, а я пока приготовлю завтрак. Ой, мамка моя приехала! — И она повисает у меня на шее. — Неужели мы опять будем завтракать вдвоем? Помнишь наши воскресные завтраки?

— Спрашиваешь!

С наслаждением принимаю душ. Дашка успела сообщить мне, что днем вода здесь нагревается от солнечных батарей, а ночью — от электричества. Здорово придумано!

Когда я наконец вылезаю из ванной, моя расторопная дочка уже ждет меня за красиво накрытым столом.

— Мадам, ваши платья я уже развесила, чтоб не мялись. Почти сплошь обновки!

— Это в основном из Америки, от Ланки и дяди Пети!

— Не забывают?

— Нет!

— Мамка! — вдруг взвизгивает Дашка и снова кидается в мои объятия. — Как же я по тебе соскучилась!

Она еще совсем ребенок, моя взрослая замужняя

дочка. Но вот она вновь входит в роль гостеприимной хозяйки дома:

— Мамуля, твои любимые йогурты — вишневый, ананасный, черничный. Вот сыр, хумус, а это баклажаны, я сама приготовила. Баклажаны в марте — разве не кайф?

— Подумаешь, — гордо отвечаю я, — в Москве сейчас тоже баклажаны круглый год.

— Да? — Дашка разочарована.

— Да, но наверняка не такие вкусные, как из твоих рук!

И опять у нас обеих глаза на мокром месте. Так мы и переходим от слез к радости и обратно.

Я с удовольствием пью кофе и пробую израильскую еду. Все очень вкусно.

— Даш, а это что за замазка?

— Это хумус, я к нему равнодушна, а Данька обожает.

— А из чего он?

— Не то из фасоли, не то из гороха.

Пробую, действительно вкусно, особенно с мацой.

— Мама, значит, планы у нас такие. Сейчас даю тебе час отдыху, а потом идем гулять. За неделю хочу многое тебе показать, а потом передам тебя тете Любе. В Иерусалим поедем на автобусе, с экскурсией. Одним туда ехать небезопасно, да я и не очень хорошо знаю город. Потом, если хватит пороху, съездим в Эйлат.

— А это что такое?

— Знаменитый курорт на Красном море. Но это далеко. Мама, у тебя уже глаза слипаются. Марш в постель. Так и быть, спи сколько влезет, я тебя будить не стану. Я и сама не прочь подрыхнуть, а то встала ни свет ни заря. Пока, мамуля.

Я лежу, пытаюсь заснуть. Ничего не получается — я слишком возбуждена. В квартире тихо, Дашка спит. Она может спать всегда и везде, стоит ей прилечь — и она уже спит. Счастливая, это не в меня. Я смолоду сплю плохо. Лежу, пытаюсь разобраться в своих чувствах. Кажется, я счастлива. Да, конечно же, счастлива! За стенкой спит моя дочка, у нее все хорошо, у меня, в общем, тоже. Я в Израиле, мне предстоит масса впечатлений, встречи со старыми друзьями. Интересно, а позвонит мне этот Викентий? Ах, какая разница, позвонит не позвонит, зачем он мне нужен? Нет уж, хватит с меня этих «лав стори», одни неприятности от них. Да и что я знаю о нем? Что у него есть две внучки, которым он читает книжки с моими иллюстрациями? Очень романтично! Нет, лучше подумаю о Дашке, какая она у меня хорошая и красивая. Удивительно, я растила ее одна и с самых ранних лет она уже была мне подружкой. И никаких у нее не было трагедий по поводу отсутствия папаши. Когда ей было лет пять, она спросила меня, где же ее папа. Я сказала, что умер. А что тут еще придумаешь? Потом из ее вопросов и моих далеко не правдивых ответов мы общими усилиями слепили довольно славного папу. Во всяком случае, настоящий папа ему и в подметки не годился. А когда Даше было уже лет тринадцать, она вдруг явилась ко мне с вопросом:

— Мама, признайся, ты про папу все придумала, да?

— Что ты имеешь в виду? — пробормотала я.

— Он ведь не умер, да? Он нас бросил? Скажи, не бойся, я не расстроюсь.

Сердце у меня оборвалось. Откуда дровишки? Но сил скрывать от нее правду не было.

— Да, девочка моя, он не умер, но он нас бросил, он меня бросил, о тебе же он и по сей день не подозревает.

— То есть как? Почему?

— Видишь ли, это трудно объяснить так сразу.

— А ты не сразу, мамуля, ты подробно расскажи все с самого начала. Мамуля, ты плачешь? Ты что, до сих пор его любишь?

— Да нет, что ты. Я и забыла, какой он. Вот только гляжу на тебя и вспоминаю: ты на него похожа, особенно глаза — точь-в-точь.

— О, значит он был красивый! — простодушно воскликнула моя скромная девочка. — Мамуля, расскажи мне все, я обещаю тебе, что не буду мучиться, не буду его разыскивать, как это делают в кино!

— Еще не хватало! Да его сразу кондрашка хватит! Скажи, а почему ты вдруг затеяла этот разговор? Тебе кто-нибудь что-нибудь наболтал?

— Нет, мама, это дедукция. Просто я кое-что сопоставила. Согласись, странно, что от человека ни одной фотографии не осталось? Только твой рисунок. А кстати, это он?

— Да нет, скорее фантазия на тему. А его я, честно сказать, уже и не помню. Мы с ним однажды, давным-давно, встретились, «средь шумного бала, случайно», так я его не сразу и узнала. Так мечтала увидеть, что его лицо сплылось в памяти.

— Ой, мамуля, расскажи, мне так интересно!

Пришлось ей все рассказать.

Мы встретились с Маратом у моей подруги Леры. Он был другом ее любовника. Оба они были профессорами крупного технического института, оба значительно старше нас. Стояла жара, Леркина мать уехала к сестре в Ленинград, Лерка царевала одна в квартире, а я поехала к ней мыться — у нас не было горячей воды. Едва я вошла в квартиру, как моя подружка затараторила:

— Иди быстрее мыться, а то через полтора часа придут Волька с Маратом, посидим, выпьем.

— Ой, тогда надо навести марафет!

— Да он, кажется, вообще не по этому делу.

Но тут она попала пальцем в небо. Едва он вошел, я сразу поняла Татьяну Ларину, то есть обомлела, запылала и в мыслях молвила: «Вот он!» Любовь с первого взгляда. Чуть грузноватый, заго-релый, седой, с синими-синими глазами, он при виде меня тоже сомлел. Мы вчетвером уселись за стол, но ни я, ни он не могли проглотить ни кусочка. Лера с

Волей ели и пили, а мы только изредка опрокидывали рюмку, не сводя друг с друга изумленных глаз. Заметив наше невменяемое состояние, сообразительный Воля пошушукался о чем-то на кухне с Лерой, она вызвала меня и быстро зашептала:

— Слушай, мы сейчас уедем на дачу, вернемся утром. Давай действуй, он от тебя без ума, это невооруженным глазом видно! Да и ты явно млеешь. Давай, Кирусик, не теряйся, он жутко интересный мужик, даже завидки берут!

— Лер, ты что, в своем уме? Как это мы тут останемся одни?

— А то ты не знаешь как! Очень даже просто! Ты что, против?

— Да я-то не против, а вдруг он не захочет?

— Ну да, как же! Если только сдрейфит, тогда конечно... Да ладно, на худой конец переночуешь тут одна, а мы в десять уже будем тут! Чао!

Когда я вернулась в комнату, он по-прежнему сидел за столом и вид у него был понурый.

— Что-то случилось? — сдавленным голосом спросил он. — Почему они вдруг умчались?

— Я не очень поняла, но они часа через два вернутся, что-то такое вспомнили...

Не могу же я сказать, что они просто оставили нас на всю ночь. Положеньице! Он, похоже, вконец растерялся. Я ободряюще улыбнулась ему.

— Простите меня ради Бога,— начал он.

Ну вот, сейчас слиняет. А я первый шаг делать не умею.

— Простите меня, но я так давно не оставался наедине с такой молодой и красивой женщиной... — честно признался он.

Ну и дела. Мужику за сорок, а он растерялся, как школьник, нет, вернее, как гимназист, школьники в наше время так не теряются. Может, если бы не эта его растерянность, я не влюбилась бы в него так безоглядно. Мне стало его жаль: хотя в мои двадцать шесть у меня был некоторый жизненный опыт, но просто подойти и обнять его я не могла. Мы сидели за столом, глядя друг на друга безумными глазами, и говорили о чем-то постороннем, кажется об острове Сааремаа, а почему — не знаю. И вдруг он протянул мне руку через стол, как нищий, ладонью кверху.

— Помогите мне, — взмолился он.

Я подала ему руку, он крепко сжал ее, и я ответила на его пожатие.

О, что это была за ночь! Сколько любви, сколько признаний, сколько разговоров. Я была переполнена нежностью, а он все твердил, какое чудо наша встреча, и я чувствовала, что это не пустые слова, что он тоже полон любви и благодарности. Никогда прежде я не испытывала ничего подобного — каждую мою ласку, каждое слово он воспринимал как величайший дар, а мне было бесконечно радостно приносить ему эти дары. Мы заснули, когда уже стало светать. Я проснулась первой и взглянула на часы. Половина шестого. Времени еще много, Лера вернется в десять. Я смотрела на Марата и чувствовала — вот это мое будущее, наверняка очень трудное, но будущее, и теперь на всем свете для меня есть только он, и всегда был, просто я не знала, а все, что у меня было в прошлом, быльем поросло. Но, как ни странно, чувства мои порождала не страсть, а бесконечная нежность, замешенная на жалости, — он был так наивен и неопытен в свои сорок с лишним. Да и неудивительно: он признался, что впервые изменил жене, с которой без любви прожил больше двадцати лет. Кажется, я знаю о нем почти все, о двух его взрослых детях, о преданной любви к покойной уже матери и даже о том, что он, как и я, страшно любит кошек.

Вдруг он открыл глаза, и на лице его отразился испуг.

— Который час?

— Шесть.

— А где же Лера и Воля?

— Вернутся не раньше десяти, — успокоила я его.

— Ох, какое счастье, значит, у нас как минимум три часа в запасе! Любимая... Это была самая счастливая ночь в моей жизни... Ты такая молодая, красивая, а я... Скажи мне, неужто я тебе не противен, ведь я настолько старше тебя...

Ну что тут ответишь, если тебя переполняют нежность и любовь? И я только молча целовала его.

— Милая моя Кирочка, я ведь завтра уезжаю на три недели.

Я обмерла.

— Куда?

— В Эстонию, в отпуск. Скажи, ты... мы... мы сможем видеться, когда я вернусь?

— И ты еще спрашиваешь!

— А где? Надо что-то придумать.

— Марат, тебе когда надо уходить?

— К половине одиннадцатого я поеду в институт, а после часу дня я свободен как птица... до вечера, к восьми мне необходимо попасть на дачу, ведь завтра мы... я уезжаю. Вещи надо собрать и вообще... Знаешь что, давай встретимся в половине второго, пообедаем где-нибудь, а потом...

— А потом поедем ко мне.

— Разве это возможно?

— Да, я сейчас одна, мама с папой в Рузе.

— Вот и чудесно, значит, в половине второго встречаемся у «Националя» со стороны Манежной. А сейчас иди ко мне, скорее...

В половине десятого он ушел. Я быстро прибралась и села ждать Леру. Боже мой, вот она, любовь! Пришла и совсем меня оглушила! Ну где же Лерка, скорее бы она вернулась, меня так и распирало, необходимо было с кем-то поделиться. Я набрала номер Алевтины.

— Аль! Привет!

— Где тебя носит, я звоню, звоню! — накинулась на меня Алевтина. — Ты что, дома не ночевала?

— Не ночевала.

— Где ж это ты гуляешь?

— У Лерки.

— Ах, у Лерки, а я-то думала... Слушай, а что это у тебя с голосом? Что-то стряслось?

— Аленька, я влюбилась. До смерти, до сумасшествия.

— Вот новости! В кого? Не в Волю, надеюсь?

— Нет, в его друга, его зовут Марат...

— Холостой? — деловито осведомилась Алевтина.

— Да где они, холостые? Женатый! Но это мне неважно, я его все равно люблю!

— С первого взгляда?

— Вот именно.

— Кирка, а почему у тебя голос такой несчастный, он что, на тебя не клюнул?

— Почему это? — возмутилась я. — Еще как клюнул. Он тоже с первого взгляда.

— Так вы уже...

— Ага.

— Ну и что дальше?

— Дальше мы идем обедать в «Националь», потом едем ко мне, а завтра он на три недели уезжает в Эстонию, в отпуск.

— С женой?

— Надо полагать.

— Ты из-за этого такая пришибленная, Кирюшка?

— Да, и вообще, понимаешь, я точно знаю, тут что-то будет, но только очень тяжелое.

— Почему?

— Сама не пойму, предчувствие, наверное.

— Что-то не похоже на тебя, ты же у нас опти-мистка.

— То-то и оно.

— Кирюшка, прости, мне надо сейчас собирать-ся, мы сегодня к Ваське в лагерь едем. Ты когда дома будешь?

— Вот дождусь Лерку и поеду. А вечером, он сказал, ему к восьми надо на дачу, так что часов в восемь заходи.

— Ладно, целую, не раскисай!

Когда вернулась Лера, я, вкратце изложив ей ситуацию, накинулась на нее с расспросами о Мара-те. И вот что я узнала: в ранней молодости он женился на дочери соседей по даче. Эти соседи были еще и друзьями его родителей. Обе семьи хотели породниться, и хотя он вовсе не любил эту девушку, все же женился на ней, дабы не огорчать любимую маму. У него двое детей, 19-летняя дочь и 17-летний сын. Они с женой оба — генеральские дети, что называется, одного поля ягоды. И, похоже, он дей-ствительно не изменял жене, во всяком случае Воля, ближайший друг, ничего об этом не знает. Его нема-ло удивило вчерашнее поведение Марата.

— А ты-то хороша, сидишь, как язык проглоти-ла, вот уж на тебя не похоже! — потешалась надо мною Лерка. — Мы-то с Волькой уписываем за обе щеки, а вы только томно вздыхаете да водку глушите. Смех, ей-богу!

— Ну уж и глушим!

— Глушите, глушите!

И мы покатились со смеху.

— Угодил тебе, выходит, Воляшка? — чуть ли не рыдая от смеха, спросила Лерка.

— Угодил, с меня причитается.

Потом, быстро приняв душ — дома-то горячей воды не было, — я помчалась домой переодеваться и наводить марафет. Ровно в половине второго я была у «Националя». Марат уже ждал меня.

— Нам везет, — сказал он, целуя мне руку,— я заказал столик.

В те годы в Москве попасть в хороший ресторан было не так-то просто.

Мы поднялись по лестнице и сели в одном из небольших залов. Столик был у стены, на двоих, укромный и уютный. Но официанта, как водится, пришлось ждать долго. Впрочем, нас это ничуть не огорчало.

— Что будем пить? — спросил Марат. — Вообще в таких случаях принято пить шампанское, но должен тебя предупредить: шампанского не пью никогда, даже в Новый год. Но если ты хочешь — ради Бога!

— Да нет, предпочитаю белое вино.

— Отлично. А как насчет коньяка?

— Терпеть не могу.

— Тогда, может быть, водки?

— Нет, хватит вина. А почему это ты не пьешь шампанское?

— Видишь ли, я родом из Севастополя, и в начале войны, когда я был еще совсем мальчонкой, в городе долго не было воды. Нигде, ни капли. Зато был завод шампанских вин, и все пили только шампанское. Его как-то выпаривали и даже варили на нем компоты. Короче говоря, с тех пор я и на дух его не переношу.

Я очень живо представила себе, как целый город пьет одно только шампанское, и меня передернуло.

— До чего же ты красивая. — Он взял мою руку и стал целовать в ладонь. — Сегодня ты еще красивее, чем вчера. Мне страшно оставлять тебя на такой долгий срок. Боюсь, уведут.

И куда девалось мое хваленое чувство юмора? Я смотрела на него коровьими глазами и уверяла, что никто меня не уведет, никто мне не нужен, короче, вела себя дура дурой. Потом мы поехали ко мне и пробыли там, в неге и любви, до самого вечера. Конечно, он ушел от меня только в десять, махнув на все рукой. Прощались мы чуть ли не со слезами, в его голосе слышался опасный пафос, и я, разумеется, растаяла, как мороженое на солнце. К приходу Алевтины от меня осталась только липкая лужица.

Алевтина с порога оценила ситуацию.

— Так, все ясно, судя по кретиническому выражению лица — великая любовь. Отсутствующий взгляд, блаженная улыбка — налицо симптомы тяжелого заболевания.

— Ладно, чья бы корова мычала...

— А я что? Я ничего. В свое время и мы болели, и ты надо мной смеялась, теперь моя очередь.

— Ох, Алька, что-то будет...

— Что?

— Понятия не имею.

— Ну а не имеешь понятия, так помалкивай, а то раскудахталась — что-то будет, что-то будет. Конец света, что ли?

— Надеюсь, что не света, а Светы.

— Какой еще Светы?

— А его жену Светой звать.

— Ну ты даешь! Ночку с мужиком переночевала, в ресторан сходила — и здрасьте, он разводится. Жди-дожидайся, дурища набитая. И не мечтай. Он сейчас с ней в отпуск укатит, там она живо смекнет, что мужик втюренный, и так его обработает, что он о тебе и думать забудет.

— Ты что? — безумно пугаюсь я.— Да я просто скаламбурила, а ты и вправду решила, что я его разводить собираюсь? Да Бог с тобой, это вообще не мой стиль. Да, кстати, вы когда в Молдавию едете?

— Андрей уже билеты купил, едем через неделю.

— И сколько вы там пробудете?

— До конца августа, а что?

— Аленька, ты мне ключи оставишь?

— Ясное дело, оставлю, не бойсь, Кирюха, будет

тебе квартирка для любовных свиданий. Если он, конечно, вообще прорежется, твой Робеспьер.

— Марат, — слабым от переживаний голосом поправила я.

— А по мне, один хрен, что Марат, что Робеспьер, я всю эту революционную сволочь терпеть не могу. Ручаюсь, что твоя мама скажет: порядочного человека не могут звать Маратом. Хочешь пари?

— Какое там пари! Именно так она и скажет.

В разговорах о Марате мы просидели до глубокой ночи.

В течение недели мои близкие друзья как-то разом разъехались на отдых. Все уже знали о великой любви. Не понимаю, что такое со мной приключилось, раньше так не бывало, но у меня возникла такая неодолимая потребность говорить о нем, вновь и вновь проживать эту встречу, что на меня уже начинали смотреть как на полоумную. Во всяком случае, когда, никого не застав, я позвонила жене моего старого друга, с которой мы были в хороших отношениях, но не более того, позвала ее к себе и вывалила ей все, она, похоже, решила, что я рехнулась. Вытаращив глаза, она слушала меня и сочувственно кивала головой. Впрочем, скорее всего, она сочувствовала не мне, а моим родителям, чья дочка вдруг безнадежно сбрендила.

А потом вернулись родители, и я конечно же рассказала обо всем маме, хотя в последнее время

старалась скрывать от нее свои сердечные дела, уж
больно решительно она во все вмешивалась. Разумеется, мама заявила, что приличный человек не может
носить имя Марат. Алевтина как в воду глядела.

Наконец он позвонил. Когда раздался звонок, я
уже точно знала — это он. Задыхающимся от волнения голосом он сказал, что едва дожил до этого
дня.

— Когда же, когда мы встретимся?
— Завтра вечером, часов в восемь.
— Где?
— У моей подруги.
— Это далеко?
— Нет, пять минут ходьбы от моего дома.
— Чудесно! Значит, завтра в восемь на углу у
магазина, да?
— Да!
— Я люблю тебя!
— Я тоже!
— До завтра, любовь моя.
— До завтра.

Неужто свершилось? Он приехал! Приехал и
сразу позвонил! Я даже ни о чем его не спросила —
как он отдохнул и так далее. Ничего, завтра спрошу.
И совершенно не с кем поделиться радостью! Даже
мама и та уже спит! Как же теперь дожить до
завтрашнего вечера? Нет, не до вечера, до утра.
Утром предстоит куча дел, надо все успеть, и еще

забежать в Алькину квартиру хотя бы пыль смахнуть. А потом еще навести немыслимую красоту. Ведь после разлуки смотришь всегда другими глазами. После разлуки Анна заметила, что у Каренина уши торчат. А вдруг он что-то такое во мне заметит? А если я? Нет, я-то уж точно ничего не замечу, меня так колотит от любви, что я вовсе ослепла, ничего кругом не вижу, где уж тут разглядеть пятна на солнце? Впрочем, если и он в таком же градусе, то можно не волноваться. Главное — выспаться, но как заснуть в таком состоянии? Взять у папы снотворное? А если я буду завтра как вареная рыба? В результате от всех этих мыслей я заснула как убитая.

Утром, свежая как огурчик, я понеслась по делам, а их конечно же скопилась чертова уйма. Но, разумеется, я все успела и в шесть часов примчалась домой, уже едва держась на ногах. Сразу плюхнулась в теплую ванну с бадузаном и четверть часа лежала, закрыв глаза. Потом вымыла голову, намазалась разными кремами. Короче говоря, без четверти восемь я была готова — одета, намазана, причесана. И жутко себе понравилась. Даже мама, обычно почитавшая своим долгом обнаружить какой-нибудь изъян в моей внешности, изумленно проговорила:

— Да ты сегодня просто красавица!

Ой, спасибо тебе, мамочка, что не испортила мне настроения. Когда же надо выйти? Без пяти — рано. Без двух — в самый раз. А вдруг лифт застрянет? Побегу лучше пешком с восьмого этажа, по крайней мере можно выйти чуточку раньше.

Когда я выскочила в переулок, уже совсем пустынный в этот час, я сразу заметила его. Он ждал у магазина, повернувшись спиной ко мне. Почему-то на нем был мохеровый свитер, хотя погода стояла теплая. Мне хотелось тут же его окликнуть, но я боялась, что голос сорвется, и, держа себя в руках, чтобы не побежать, я медленно пошла к нему. Он обернулся, увидел меня и, кажется, тоже едва не побежал. Так мы шли навстречу друг другу и наконец схватились за руки.

— Кира, какая ты красивая, ты еще похорошела, — хриплым голосом проговорил он. А я вообще язык проглотила. — Куда же мы пойдем?

— А... Да... Это тут, через сквер.

Он взял меня под руку, и мы пошли «как по облаку», точнее не скажешь.

А после этой ночи все кончилось. Он исчез. Я ничего не понимала — столько было слов, клятв, заверений и... ничего. Мне он оставил только свой рабочий телефон, но занятия в институте еще не начались, и звонить туда было бесполезно. Воли с Лерой не было в Москве. Вот тут я поняла, что значит умирать от любви. Я думала только о нем. У меня все валилось из рук. Больше всего мне хотелось стоять в очереди — стоишь себе и думаешь о нем, не обращая внимания ни на что вокруг. Живя на Колхозной площади, я встала в очередь за арбузом на Арбате. Москвичи поймут нелепость такого поступка. Волочь тяжеленный арбуз с Арбата — глупее не придумаешь, когда эти арбузы продаются на каждом углу. Но очередь была такая длинная, в самый раз для моего настроения.

Он позвонил недели через три, когда я совсем отчаялась, опять наговорил кучу слов, объяснил, что был болен, ослаб и не хочет встречаться со мной, пока не наберется сил. Я опять ждала, изнемогая, он снова звонил, потом пропадал, опять звонил, объяснялся в любви, всякий раз находя веские причины, чтобы отложить встречу. А на меня тем временем посыпались беды, одна за другой. Слег с микроинфарктом отец, я выхаживала его дома, а потом слегла и уже не встала мама. Я крутилась как белка в колесе и в довершение всего обнаружила, что беременна. Первой моей мыслью было сделать аборт. Немедленно. Куда мне сейчас еще ребенок? Папа, правда, уже пошел на поправку, но маме день ото дня делалось все хуже. Она уже не вставала с постели. Кто знает на собственном опыте, что такое лежачая больная, тот меня поймет. Но это еще полбеды — у моей мамы, умной, острой, блестящей женщины, вдруг развилось старческое слабоумие, хотя она была вовсе не так стара. «Результат черепной травмы», — сказали врачи. Куда уж тут ребенка рожать? Но, как ни странно, моя безнадежная любовь помогала мне справляться со всеми трудностями — они попросту не доходили до моего сознания или разве что по касательной задевали его. Вероятно, это было сродни эгоцентризму тяжелобольного человека. А может, просто инстинкт самосохранения срабатывал?

Как-то поздней ночью, когда я устала так, что

даже не было сил лечь в постель, я сидела на кухне и вдруг подумала: я должна родить этого ребенка, я ничего на свете не хочу, кроме него. Почему-то я была уверена, что это будет дочка. И не надо мне Марата, бог с ним, пусть живет как хочет, а я рожу себе ребенка, он будет только моим, а Марат об этом даже не узнает. Я давно уже поняла, в чем причина его странного поведения, — он элементарно струсил. Испугался страстного отчаяния в моем голосе, испугался себя, испугался за свою устроенную, налаженную жизнь, за карьеру, испугался разницы в возрасте, хотя она вовсе не была такой уж роковой. Что ж, ему же хуже, решила я тогда. Но в глубине души я знала, что он все равно любит меня и я люблю его, хотя никаких иллюзий на его счет у меня уже не было.

Так пусть от этой краткой любви останется ребенок. Я только хотела, чтобы дочка была похожа на него, а уж воспитаю я ее по-своему, доброй и храброй. Чтобы не боялась любви.

На следующий день я вызвала к себе Леру и мы с ней закрылись на кухне.

— Лерка, я беременна! — заявила я с места в карьер.

— Что? От Марата?

— От кого же еще?

— Вот скотина! Ну я ему устрою!

— Лерка, не смей! На коленях прошу — никому ни слова! Я буду рожать!

— Рожать? Ты в своем уме? Куда тебе еще младенец в этот ад?

— Ничего, прорвемся, я же оптимистка. Рожу себе дочку с синими глазами...

— А если будет сын, да с серо-зелеными, тогда что?

— Нет, я чувствую, будет девочка... Только, ради бога, ни слова ни Вольке, ни тем паче Марату. Ничего от него не хочу, вот дурак, пройти мимо такой любви...

— Слушай, но ведь пузо-то не скроешь. Воляшка мигом смекнет, что к чему.

— Я уже все продумала — ты сейчас скажешь своему Воляшке, что я про Марата и думать забыла, что у меня бешеный роман с кем-то другим, а потом сообщишь, что я от него забеременела, а он меня бросил.

— Вот еще! Что это тебя все бросают?

— Значит, я такая невезучая.

Лерка как-то криво улыбнулась: она чувствовала свою вину и ответственность за мои мучения с Маратом. Как-никак кандидатура ее Воляшки. И вдруг с жаром заговорила:

— И правильно, и рожай, ни фига, сдюжим, будем все вместе ее растить, нас много, каждый что-нибудь для нее сделает, будет у нас дочь полка! Молодец Кирусик! Правильно! Раз Бог дает — надо рожать! Тем более такая любовь! Умница! Вот только говорить, что тебя еще какой-то хрен бросил, я ни за что не буду. Не волнуйся, я сумею заткнуть

Воляшке рот. Пусть только попробует вякнуть — сразу выгоню к чертям! — развоевалась Лерка. Она не могла иметь детей, и перспектива принять участие в моем ребенке ей, видимо, пришлась по душе.

В одном мне не откажешь — друзей я выбирать умею. Никто из них не остался равнодушен. Помогали все и морально, и материально, и физически. Когда я была на пятом месяце, умерла мама. А еще через месяц скончался во сне папа. Я осталась одна, беременная, и если бы не халястра... Как-то один старый и мудрый еврей сказал мне, что такая тесная компания друзей по-еврейски называется халястрой. Нам всем так понравилось это слово, что с тех пор мы и сами стали звать себя халястрой. Где теперь та халястра... Иных уж нет, а те далече. Петя в Америке, Мишка-маленький — аж в Зимбабве, Люба в Израиле, Мишка-большой в последние годы так отдалился от нас, что его тоже как бы и нет, Андрей умер... В Москве остались только Лерка с престарелым Воляшкой и Алевтина, которая, овдовев, сбегала замуж в Англию, но через три месяца бросила богатого английского мужа и вернулась в Москву. Кроме меня, ее мало кто понял. Но, едва вернувшись, она сразу же нашла работу, целиком ее захватившую, и любовь, прямо на работе, не отходя от кассы. И совершенно счастлива, тьфу-тьфу, чтоб не сглазить.

А тогда, двадцать лет назад, вся халястра дружно меня поддержала. Никогда я не чувствовала себя матерью-одиночкой. Расти Даша с родным отцом, наверное, она не была бы так присмотрена и ухожена, как в нашей халястре. Подружки с детьми делились опытом и детскими вещичками, бездетные с упоением нянчились с нею, Мишка-большой присматривал за нею как врач, а Мишка-маленький, геолог, уговорил меня, когда Дашке было три года и остро встал вопрос дачи, поехать с ним на Урал поварихой в геологическую партию и взять с собой Дашку, которая часто простужалась и которую надо было закалять. Я отважилась на эту авантюру, и не зря. Как же там было здорово! Дашка целыми днями паслась на лужайке под присмотром кого-то из наших, плескалась в речке, загорела дочерна, забыла о простудах и диатезе, а я, помимо поварской деятельности, с которой легко справлялась, очень много рисовала. Красота там была необычайная. Синие горы! Мы жили на просторной круглой поляне, на берегу мелкой, но чистой речки Демид. Я вставала в шесть утра, вылезала из палатки и в утренней дымке шла мыть оставленную с вечера посуду. Я мыла ее в речке, с песком, вода была необычайно теплая, и эта простая работа доставляла мне огромное удовольствие. Тишина, только пение птиц да плеск воды. Потом я готовила нехитрый завтрак и шла будить команду. После завтрака все уезжали, но кто-нибудь один оставался со мной и Дашкой. Ах, что это было за время! Я попала совсем в другой мир. Домашняя девочка, выросшая в семье старых московских интеллигентов, воспитанная в правилах хорошего тона, я вдруг попала в среду работяг, да и интеллигенты в нашей партии были тоже не знакомого мне розлива.

Но я мгновенно освоилась, мне было хорошо с ними, я полюбила их, а они полюбили меня, о Дашке и говорить нечего, в ней все души не чаяли. Никто никогда словечка дурного мне не сказал. А один из наших шоферов, двадцатитрехлетний красавец Митька, влюбился в меня и служил мне верой и правдой — таскал воду, чистил картошку и грибы, привозил букеты полевых цветов и кружки лесной малины, ничего не требуя взамен. Но однажды, когда мы на целый день остались вдвоем, не считая Дашки и двух «партийных» собак, он вдруг подошел ко мне сзади и крепко обнял. Я хотела было оттолкнуть его, возмутиться, но день был жаркий, головокружительно пахло травой, рекой, лесом, и этот запах мешался с легким запахом бензина и молодого мужского тела... Короче, природа взяла свое. Я только успела прошептать:

— А где же Дашка?

— Спит, не бойся, я сам ее уложил. Идем скорее!

Мы любили друг друга в высокой траве за палатками. Три с лишним года воздержания дали себя знать, а он был так молод, так силен, так хорош. Истомленные, мы лежали в траве, забыв обо всем, и вдруг раздался звон колокольчика.

— Что это? — вскинулась я.

— Дашка проснулась. Я ей к ноге колокольчик привязал, чтоб не убежала.

— Ну ты и хитер! — засмеялась я.

— Нужда заставит — будешь хитрым!

Он приходил ко мне каждую ночь и был моей

отрадой до конца сезона. А в Москве мы почему-то потеряли друг друга из виду. Может, оно и к лучшему.

— Мамуля, ты не спишь?

— Нет, детка, не сплю, так лежу, вспоминаю разное. Даже Урал вспомнила.

— Да, там было здорово!

— Неужели ты что-то помнишь?

— Конечно, речку помню, собак и костры. И еще помню, как руками рыбу поймала.

— И тут же отпустила!

— Да, она скользкая была, противная. До сих пор мне противно брать в руки живую рыбу.

— Дуреха ты у меня, иди сюда, поцелуемся. Дарья, я хочу к морю!

— Так вставай и пошли.

— А далеко?

— Пешедралом полчаса, а можно поехать на машине.

— Никаких машин! Пошли пешком. С городом надо знакомиться без колес, а то не почувствуешь его как следует.

— Без колес так без колес!

— Дарья, а купаться тут можно?

— Мадам, сейчас еще никто не купается, ты что? Вот через недельку-другую...

— Ой, я не доживу! Да, кстати, надо срочно

поменять деньги, а то у меня только доллары, их ведь тут не принимают, да?

— Не волнуйся, все предусмотрено! Завтра утречком заедет Левушка Абезгауз и поменяет тебе нормальненько, один к трем.

— То есть?

— То есть три шекеля за доллар, а в банке с тебя такие проценты сдерут, ой-ой-ой! Так что сегодня будешь на моем иждивении.

— А мороженое мне купишь?

— И мороженое, и орешки.

— Какие орешки?

— А какие захочешь — миндаль, фисташки, кешью, арахис, хочешь с сахаром, хочешь с солью! Короче, купим все, что понравится.

— Ура! Живем!

Мы вышли на улицу, тихую, безлюдную, потом свернули, прошли еще минут пять и очутились на Алленби, нешорокой, но чрезвычайно оживленной улице, где на каждом шагу были магазины и магазинчики, экзотические лавчонки и просто заныры, набитые каким-то линялым тряпьем.

— Идем, мамуля, здесь не стоит задерживаться, ничего интересного!

В какой-то подворотне, сплошь уставленной белыми полотняными мешками с орехами, крупами и сушеными фруктами, Дашка купила кулек миндаля, и мы дружно на него накинулись.

— Как вкусно!

Но вскоре от соленого миндаля захотелось пить.

— Что ты предпочитаешь — свежий сок или какую-нибудь воду?

— Разумеется, свежий сок.

Мы подошли к торговцу соками.

— Слушай, Дашка, а чего это у них мешки с морковью стоят?

— Для морковного сока, они тут на нем помешаны. Хочешь?

— Ни за что! Только апельсиновый!

— А может, эшкалиот?

— Чего?

— Грейпфрутовый.

— Давай!

Мы с наслаждением выпили грейпфрутового сока, выжатого на наших глазах.

— Кайф, мамуля?

— Кайф!

— Вот смотри, слева серое здание — это самая большая в Тель-Авиве синагога. А кстати, знаешь, что такое Тель-Авив? Холм весны — красиво, правда?

— Боже, Дашка, что это за деревья такие удивительные — голые и с красными цветами?

— Говорят, это разновидность акации, я к твоему приезду всех знакомых опрашивала, но точно никто не знает. Чуяла, что будешь приставать с расспросами.

— Но ведь и вправду интересно, сроду таких не

видывала. Ой, а тут все стволы какие-то перекрученные! Это от ветра?

— Понятия не имею. Это бульвар Ротшильда. Кстати, мама, ты не устала, а то можно до набережной доехать на автобусе.

— Ничуть я не устала, мне так все тут нравится!

Я и впрямь наслаждалась жизнью. В Москве снег, слякоть, холодрыга, а тут весна, все цветет, теплынь, никуда не надо спешить и Дашка рядом.

— Дарья, ты чего меня все за руку держишь, боишься, что я потеряюсь?

— Нет, просто так приятно, когда мама тебя за ручку ведет!

— Еще кто кого ведет! Даш, а что это там за столпотворение?

— О, это замечательное место — шук Кармель! Базар! Вон там, чуть левее, что-то вроде Арбата, художники тусуются, продают всякую прикладную дребедень, хотя бывают очень красивые вещи, но не дешевые, надо сказать. Мы непременно туда с тобой сходим. А правее — это уже собственно базар.

— Туда мы тоже должны сходить!

— А как же! В пятницу с самого утра туда и пойдем, чтобы все закупить на субботу.

— Ты что, субботу отмечаешь? — изумилась я.

— Да нет, еще чего, — рассмеялась Дашка, — но просто часов с пяти в пятницу и до вечера субботы тут ничего не купишь, хоть тресни.

— Ну это-то я знаю.

— Еще немножко, мамуля, и мы у моря!

И вот я вижу его, море! Средиземное! Божественно красивое, сине-зеленое! И набережная красивая, с шикарными отелями! Господи, море! С этой нашей перестройкой я уже лет пять не видела моря! Куда податься-то? Чтобы поехать в Таллин к старой подруге — ах, кажется, надо писать «Таллинн», а то эстонцы обижаются, если у них отнять одно «н», — надо получить приглашение, а потом еще корячиться в нескончаемой очереди в посольстве. Нет уж, увольте! В Ленинград мне ехать не к кому. Крым, Кавказ не больно-то к себе влекут, тем более что цены там почище, чем где-нибудь в Анталии. Нет, я здорово устроилась, отпустив дочку в Израиль!

— Ну как тебе наше еврейское море?

— Класс! Я лично пошла к воде, а ты как хочешь!

Сняв босоножки, я бегом помчалась к воде.

— Ой, Дашка, какая теплая! И почему я, дура, не взяла купальник!

— Мама, опомнись, посмотри — ни одна живая душа не купается!

— А черта ли мне в этих живых душах! Да тут градусов двадцать, не меньше! Бедная я, бедная! Ну ладно, завтра утречком одна сюда пойду, дорогу я теперь знаю! А ты дрыхни! Тебе небось стыдно будет за полоумную мамашу, которая лезет в воду, когда все приличные тельавивцы еще не купаются? Ведь стыдно, признайся?

Дашка ничего не успела ответить, потому что вдруг кто-то кинулся мне на шею с криком:

— Кирка, зараза!

Боже мой, Любка!

— Я вас еще у шука приметила, — запыхавшись, докладывала она. — Кричала, кричала, да вы как оглохли, а побежать к вам я не могла, сумки сторожила, Пашку ждала. Просто хоть плачь! А когда Пашка подоспел, я вас уже из виду потеряла, но сообразила-таки: Кирка к морю рвется! Кирюха, родная!

Я безумно обрадовалась Любке, четыре года мы не виделись. О, как она изменилась, чуть ли не наголо обрила свои роскошные волосы.

— Любонька, ты чего так оболванилась?

— Попробуй тут летом с волосами походить! Сдохнуть можно! А ты, Кирюшка, совсем не изменилась, все такая же. Ох, до чего ж я тебе рада! Эта твоя цербершa бессовестная никого не желает к тебе допускать. Монополистка хренова! А вот не вышло у тебя, не вышло!

Смотрю на Любку — все тот же милый прокуренный голос и она все такая же красивая, несмотря на стрижку.

— Ну как тебе наша Израиловка?

— Да я же ничего еще не видела, но мне пока нравится.

— А я — ненавижу! — с сердцем сказала Любка. — Так в Москву хочется, что хоть пешком беги!

— Тетя Люба, ты опять за свое? Куда ты побежишь? Небось все твои здесь, кому ты там нужна?

— А здесь я кому нужна? — вскинулась Любка. — Думаешь, Лизка очень во мне нуждается? Как бы не так! Мама, у тебя не убрано, мама, у тебя плита грязная, а я сижу как проклятая за компьютером, да еще с внуком нянчусь, так что же мне — в свободное время плиту драить? — Любка явно продолжала препираться с дочерью. — Ох, Кирюшка, прости, я даже мысленно и то все время с Лизкой ругаюсь! Когда твоя оглоедка тебя отпустит, уж мы с тобой всласть наговоримся!

— Тетя Люба, а ты в воскресенье свободна с утра?

— А что?

— Понимаешь, я купила путевки в Иерусалим, а вчера выяснилось, что мне бы надо смотаться в Ашкелон по одному делу. Ты не съездишь с мамой?

— Конечно! С удовольствием!

— Мамуля, ты не против?

— С чего это я буду против! Ой, девчонки, какая же я счастливая, что я тут, с вами!

— Вот что, мои дорогие, — строго заявила Люба, — сегодня вечером часов в восемь ждем вас к себе. Лизаня вся трясется, жаждет пообщаться с тетей Кирой, узнать все про Ваську. Короче, Дарья, чтобы к восьми привела мамашу к нам! Согласна?

— А почему бы и нет? Мне же лучше, ужин не готовить, посуду не мыть!

— Засранка! — нежно прохрипела Любка. — Кирюха, а как твой Жукентий? С кем ты его оставила? С Алькой?

— Конечно, кому же я еще его доверю, моего Жукочку!

— Сегодня познакомишься с нашим Шмуликом. Красавец, глаз не оторвешь! Ладно, девчонки, я побежала, надо Лизку предупредить, что вы придете! Привет!

И она унеслась.

— Вот, мамуля, не успела ступить на израильскую землю, как уже начались встречи. То ли еще будет!

О, тут она как в воду глядела!

Мы долго, с упоением гуляли, разговаривая обо всем сразу, и никак не могли наговориться и нагуляться. Дашка только время от времени спрашивала:

— Мамуля, ты не устала?

— Ничуточки, — отвечала я, сама себе удивляясь. В Москве, пройдя такое расстояние, я бы уже давно издохла, а здесь просто чудо — даже ноги не болят. То ли душевный подъем, то ли морской воздух, а скорее всего и то и другое.

Вот так и потекли мои первые израильские денечки. Безоблачно-счастливые. На другой день с утра Дашка повезла меня в восхитительный курортный городок Нетанию, где я впервые в жизни купалась в Средиземном море. Ни с чем не сравнимое впечатление. Моя ставшая уже южанкой дочь в свитере стояла на берегу, покуда я плавала. А когда я наконец вылезла, она не без зависти воскликнула:

— Мамуля, такой счастливой рожи я еще никогда ни у кого не видела!

...В субботу, часов в десять утра, когда мы с Дашкой завтракали, раздался телефонный звонок. Дашка взяла трубку.

— Алло! Да. Киру Кирилловну? Одну минутку! Мамуля, тебя!

— Кто? Любка?

— Нет, какой-то мужчина, судя по вежливости, твой попутчик.

Я почему-то покраснела. И в самом деле звонил Викентий.

Начал он странно:

— Доброе утро, Кира, знаете, на кого вы больше всего похожи?

— На кого? — перепугалась я.

— На чеширского кота. Вот вас нет, а ваша улыбка у меня перед глазами.

Это меня сразило наповал. Да сравни он меня хоть с Софи Лорен, я бы не испытала такого удовольствия, во-первых, потому что это было бы явным враньем, а во-вторых, я обожаю чеширского кота.

— Кира, почему вы молчите? Алло! Вы обиделись?

— Да нет, я просто перевариваю... Знаете, лучшего комплимента я в жизни не получала, а потому заранее согласна на любое ваше предложение.

— Маманя, полегче! — шепнула Дашка.

— Вы молодчина, Кира, я в вас не ошибся. Итак, что вы делаете завтра?

— Завтра я еду в Иерусалим с экскурсией.

— Ох, какая жалость! А сегодня?

— Сегодня ничего особенного, погуляю с дочкой...

— А на понедельник есть какие-нибудь планы?

— Нет, в понедельник я свободна как птица!

— Вот и чудесно! В понедельник я вам позвоню в это же время, и мы что-нибудь придумаем!

— Но вы, кажется, живете в Реховоте?

— Собирался, но сестра моя человек сложный, а племянник живет в Тель-Авиве, сейчас он в отъезде и оставил мне свою квартиру.

«Так, — пронеслось у меня в голове, — сейчас он пригласит меня к себе».

— Понятно, — проговорила я, но тут Дашка зашептала:

— Если хочешь, пригласи его к нам на обед, часов в пять. Он, по-моему, славный!

— Гм! Викентий Болеславович!

— Ух ты! — восхитилась Дашка.

— Викентий Болеславович, вот тут моя дочка решила пригласить вас сегодня к нам на обед, в пять часов, как вы на это смотрите?

— Весьма польщен. И с удовольствием принимаю приглашение. Обед с двумя такими дамами для меня великая честь! Но как вас найти?

Я передала трубку Даше, и она подробно все ему объяснила.

— Дарья, что это тебе вздумалось приглашать его?

— Но ты же, кажется, не возражала? — вопросом на вопрос ответила она. — Ну что, мамуля, будем прокладывать путь?

— Какой путь?

— Через желудок! Но это уж я предоставлю тебе!

— Если ты просто не хотела готовить обед, то так бы и говорила! Неужто я для своей единственной дочки не сготовила бы обед? Правильно Любка говорит — засранка ты!

— Нет, мамуля, все гораздо сложнее. Дело в том, что мне надоел твой Юрик.

— Позволь, а при чем здесь ты, тем более что Юрик в Москве, а ты в Тель-Авиве?

— Просто пора его менять! Вот признайся, я все хочу спросить, но как-то не выходит, кто тебя провожал в аэропорт?

— Васька с Алевтиной.

— А Юрий Петрович не удосужился?

— Но рейс же был ночной, как бы он вырвался?

— Мамуля, меняем! И вообще, тебе пора замуж! Правда, я хотела тут тебя замуж выдать, но, боюсь, климат уж очень не твой. А вот этот, как его, Жукентий Станиславович...

— Викентий Болеславович.

— Да, имечко еще то, впрочем, будем звать его Викешей или лучше Кентом, здорово, правда?

— Ладно, Дарья, давай-ка займемся обедом, ты меня будешь морально поддерживать, больше мне ничего не требуется.

— Нет, я буду ассистировать, потом, ближе к делу, приготовлю фруктовый салат, это мое фирменное блюдо!

Мы отправились на кухню и взялись за дело. Продукты тут, конечно, замечательные! Вчера мы с утра пошли на базар — шук Кармель (когда-то у меня была прекрасная косметичка по фамилии Кармель!) и накупили прорву всякой всячины. Удивительное дело, я совершенно не чувствовала себя за границей, уж очень этот базар напоминал тбилисский или ереванский. Вероятно, осенью это выглядит иначе, когда много экзотических плодов, а сейчас особой экзотики еще нет. Мы подошли к продавцу апельсинов, и Дашка что-то сказала ему на иврите.

— Смотри, мама! Я беру два кило!

Продавец насыпает в пакет добрых пять килограммов.

Дашка отрицательно мотает головой и на пальцах показывает — два!

— Матана! Матана! — радостно кричит продавец и берет деньги за два килограмма.

— Что все это значит? — спрашиваю я, сгибаясь под тяжестью сумки.

— Матана, мамуля, это подарок! Апельсины тут почти даровые, он хочет поскорее их распродать!

— А я думала, ты ему приглянулась!

— Ну, это само собой, — скромно ответила дочка.

За разговорами я и не заметила, как приготовила роскошный обед.

— Дарья, а есть у нас какие-нибудь напитки?

— Есть, конечно. И водка, и вино, и даже джин.

Кроме того, можешь быть уверена, твой Жукентий принесет что-нибудь эдакое!

— А где он возьмет в субботу?

— Не знаю, но уверена — с пустыми руками он не придет.

Ровно в пять раздался звонок в дверь.

— Вот это точность! — восхитилась Дашка. — Король да и только! Иди сама открывай!

Викентий Болеславович и впрямь явился с бутылкой французского вина и двумя прелестными букетами. Один, поменьше,— Дашке, второй, побольше,— мне.

— Где вам удалось все это раздобыть в субботу? — поинтересовалась Даша.

— Кто ищет, тот всегда найдет, даже в Израиле в субботу! О, какой стол! С ума сойти! И все готово, дамы в полном порядке — какая прелесть!

— А у мамы это вопрос принципа! — пояснила Даша. — Она и меня так выдрессировала.

— И кто же всю эту красоту готовил?

— Мама. Я только десерт сделала.

— Ну что ж, давайте сразу за стол! — предложила я. — Поскольку мы еще очень мало знакомы, за столом нам будет легче общаться.

Попробовав мою баклажанную икру и салат с брынзой, Викентий застонал:

— Боже правый, Кира, я каждую минуту открываю в вас все новые и новые достоинства, куда это меня заведет? Дашенька, вы уже поняли, что я ухаживаю за вашей мамой?

— Я это еще в аэропорту просекла!

— Просекли? И ничего не имеете против?

— Наоборот!

— Дарья!

— А что тут такого, мама? Викентий Болеславович хочет удостовериться, что я не стану устраивать сцены, дуться и вести себя как последняя идиотка. Я отлично знаю, что у меня мама умная и красивая, а за умными и красивыми женщинами надо ухаживать.

— Браво, Дашенька! Вы тоже вся в маму — умная и красивая, но ухаживать за вами я уже староват!

— Пожалуй! — заявила Дашка.

Он от души расхохотался.

— Кира, дайте-ка мне еще ваших баклажанов, это что-то неземное!

Время летело незаметно. После обеда мы пили кофе на балконе. Было удивительно легко и уютно.

Зазвонил телефон, и Даша вступила в долгие пререкания по поводу какого-то компьютера. Мы остались на балконе вдвоем.

— Викентий Болеславович, а как вас сокращенно называют?

— Кто как — Кеша, Викеша, Витя, а мама звала Котей.

— Какая прелесть! Можно, я тоже буду звать вас Котей?

— Буду счастлив!

— Как приятно иметь дело с воспитанным человеком!

— Кира, вы заблуждаетесь, я могу быть ужасающим нахалом.

— Не верю!

— Ах не верите?

Он вскочил, выдернул меня за руку из кресла и крепко обнял.

— Ты еще убедишься, каким я могу быть нахалом и хулиганом!'

От его поцелуя у меня голова пошла кругом. С ума сойти! Как же здорово он целуется!

— Вот это темпы! — раздался вдруг Дашин голос.

— Даша, вы сами меня спровоцировали, оставив наедине и так надолго с вашей обворожительной мамой!

— Я, значит, еще и виновата?

— Разумеется, я ведь только слабый мужчина, не устоял перед женскими чарами. Что с меня возьмешь!

Я смутилась, Дашка залилась хохотом, а Викентий как ни в чем не бывало уселся в кресло и с удовольствием закурил.

— А вы и в самом деле нахал, — заметила я.

— А что я вам говорил?

Дашка деликатно удалилась на кухню. Он было рванулся ко мне, но я строго на него посмотрела, и он покорно остался сидеть.

— Кира, мне ужасно понравилось с вами целоваться. И вы, по-моему, тоже не испытали отвращения?

— Отнюдь.

— Вы мне с каждой минутой все больше и больше нравитесь, боюсь, я уже не смогу спокойно спать. Со мной давненько ничего похожего не было.

— Послушайте, Котя, это даже неинтересно, так сразу...

— А вам хотелось бы теряться в догадках, прикидывать, насколько вы мне нравитесь, и так далее? Побойтесь Бога, Кира, у нас нет на это времени! Мне уже пятьдесят восемь, и я предпочитаю играть в открытую. Поверьте мне, такая игра ничуть не хуже других. Вы мне нравитесь до умопомрачения, меня к вам тянет как магнитом, так чего ради это скрывать? И, простите за нескромность, я вам, кажется, не противен?

— Нет.

— Вот и славно! Значит, теперь надо только дожить до понедельника.

— То есть?

— Мы же условились провести понедельник вместе!

— И какая же будет программа?

— Во-первых, я поведу вас в Яффо в музей Франка Мейслера. Это потрясающий скульптор по металлу, Шолом-Алейхем в скульптуре. Вся суть еврейского народа и бездна юмора. Чудо! Вы уже были в Яффо?

— Да, мы там гуляли с Дашей. Но я с удовольствием еще пойду.

— А потом где-нибудь пообедаем, отдохнем, ну а там дальше видно будет...

— Программу принимаю.

— Что ж, не буду вам больше надоедать, вам надо завтра рано подняться, желаю приятной поездки, и будьте готовы к настоящему потрясению. Иерусалим никого не может оставить равнодушным. В понедельник утром я позвоню. Позвольте поцеловать вашу руку.

Я думала, что в отсутствие Дашки он поцелует меня на прощание. Но нет, он пошел проститься с Дашей. И только уже в дверях прошептал:

— Я не поцеловал вас, чтобы вы спокойно спали! Действительно нахал!

— Мамуля, какой клевый мужик!

— Он тебе понравился?

— Еще как! Умница, с юмором и внешне интересный. А от тебя просто балдеет! Мам, он женатый?

— Вдовец.

— Вот здорово!

— Почему?

— Не притворяйся, мамуля, что не понимаешь! Я думаю, еще дня два — и он сделает тебе предложение. Только не вздумай ему отказать!

— Да ты с ума сошла! Мы едва знакомы!

— Подумаешь, велика важность! Но имей в виду — в твоем возрасте лучше тебе не найти!

— А я и не ищу! Меньше всего на свете хотела бы выйти замуж! Нет, я слишком ценю свою свободу! Я не могу без ужаса думать о том, что у меня в квартире поселится какой-то мужик, которого надо будет кормить, обстирывать... Брр! Я терпеть не могу Ахмадулину, но одну ее строчку — «...и ощутить сиротство как блаженство» — принимаю полностью!

— Мамуля, но я же видела, что он тебе жутко нравится!

— Нравится, не спорю. Но одно дело роман и совсем другое — брак. Нет, доченька, этого ты от меня не жди.

— Ну и зря. Такие на дороге не валяются.

— Ладно, детка, давай-ка помоем посуду и ляжем спать. Завтра надо встать очень рано.

На другой день мы спозаранок заехали за Любой и помчались туда, где останавливаются экскурсионные автобусы. По дороге Люба сказала:

— Кирюшка, гляди, видишь эту белую кучу? Это снег! Сюда его регулярно привозят с гор, чтобы ребятишки имели представление, что такое снег! Здорово, правда?

— Не то слово! Ага, ты, значит, вполне способна находить и что-то хорошее в здешней жизни?

— Способна, способна, а все равно хочу домой, вот только дома там уже нету.

На путевках было написано: «Сбор группы у

дерева». Когда мы подъехали к станции, выяснилось, что деревьев там более чем достаточно.

— Ничего не скажешь, хорошенькое обозначеньице, — проворчала Люба.

— Да ладно, тетя Люба, сейчас вмиг разберемся. — Даша выскочила из машины и, ничуть не стесняясь, громко крикнула: — Эй, где здесь автобус Марины Воробьевой?

Мне уже успели объяснить, что два самых крупных экскурсионных бюро принадлежат двум Маринам — Марине Фельдман и Марине Воробьевой. У каждой есть свои приверженцы, и их отношения немного смахивают на отношения поклонниц Лемешева и Козловского.

К Дашке немедленно подскочил какой-то парень, стал что-то объяснять, и видно было, что он уже готов на все. Я с гордостью наблюдала за своей красивой и вполне раскованной дочерью. Ну и отлично, такая не пропадет!

— Кирка, — словно бы угадала мои мысли Люба, — а мы ведь такими не были. Какие-то зажатые мы были, правда?

— Правда, и слава Богу, что они другие. Так куда легче жить!

— Тетки, вылезайте, нашла я ваш автобус — шикарный, мерседесовский, с кондиционером!

— Кирка, ты не обидишься, если я чуток посплю? Для меня в такую рань вставать — хуже смерти.

— Да спи себе, Любаша, сколько влезет! А я буду в окно смотреть.

Любка и в самом деле уже через минуту спала крепким сном. А я не столько любовалась видами Израиля, сколько вспоминала вчерашний вечер. Этот Котя мне определенно нравится. Подумать только, мы виделись всего два раза, а ощущение такое, будто Бог весть как давно знакомы! Это дорогого стоит. А как он целуется! При одном только воспоминании в дрожь бросает! Куда это годится! Еду в Иерусалим, а мысли какие-то грешные. Это, наверное, оттого, что я воспитывалась атеисткой и довольно долго жила в Безбожном переулке.

— Циля! У тибе юбка задралась! — раздался вдруг чей-то пронзительный голос.

— А? Что? — обалдело вскинулась сонная Любка.

— Спи себе, у какой-то Цили юбка задралась.

— Нет, ты скажи, почему это здесь евреи так орут?

— Вероятно, потому, что в других местах им приходится помалкивать. Их можно понять.

— Расфилософствовалась!

— Любаня, не ворчи. Спи лучше.

— Да нет, тут разве поспишь! Кирка, признайся, ты влюблена?

— С чего ты взяла?

— А то я тебя не знаю — вон глаза какие мечтательные. Ну и кто на сей раз?

— Да нет, пока еще говорить не о чем, всего-то полтора раза видались.

— И ты уехала?

— Никуда я не уехала, он тут.

— Иди ты! — восхитилась Люба. — Ну, Кирка, ты даешь! Уже здесь успела подцепить?

— В самолете.

— Ага, как в песенке, «Любите на лету!».

— Вот-вот!

— Кирка, я серьезно спрашиваю!

— А я не могу серьезно отвечать!

Между тем мы подъезжали к Иерусалиму.

Экскурсоводша, маленькая, очень бойкая женщина, повела рассказ о городе, о кварталах, которыми мы ехали. Здесь жили немецкие евреи, успевшие уехать в самом начале тридцатых годов. Они смогли вывезти немалые средства, построили здесь добротные дома, очень похожие на немецкие виллы.

А дальше начались чудеса, и я забыла обо всем на свете. «Иерусалим — город трех религий» — так называлась наша экскурсия. Дивный, белый, экзотический город, в жарком воздухе которого так естественно звучат имена Ирода, Каиффы — вот здесь жил Ирод, а вот там Каиффа! Когда же мы попали в узкую каменную улочку, сплошь занятую лавчонками, торгующими всякой туристской дребеденью, и наша экскурсоводша Людмила сказала, что это и есть Виа Долороса, то есть Скорбный путь, меня охватило какое-то никогда доселе не испытанное волнение, нараставшее с каждой минутой. Потом был храм Гроба Господня, но об этом ничего не могу рассказать — только комок в горле и строчки Пастернака: «...все яблоки, все золотые шары» — и еще: «Я в гроб сойду и в третий день восстану...»

Когда мы добрались до Стены Плача, я уже вполне пришла в себя. Чтобы попасть к Стене, надо пройти контроль не менее строгий, чем в аэропорту: с металлоискателем, с раскрыванием сумочек. Никакой записки я, конечно, не заготовила, а потому, протолкавшись к Стене, просто прижала к ней ладонь и подумала: пусть у Дашки все будет хорошо.

Людмила предоставила группе возможность двадцать минут погулять и, так сказать, «оправиться». Оправившись, мы с Любкой отошли в сторонку покурить. Курила, впрочем, одна Любка.

— Кирка, да ты на ходу подметки режешь, что это с тобой на старости лет?

— Ты о чем?

— А ты не заметила, как тут один дядечка просто глаз с тебя не сводит?

— Где, какой?

— Сейчас я его не вижу. Он из нашей группы, довольно пожилой, но интересный.

— Пожилой! Мы и сами с тобой уже пожилые!

— Ничего подобного, мы еще хоть куда!

Приехав в Израиль, Любка пережила уже три бурных романа.

— Если хочешь знать, мы еще только вступаем в возраст элегантности, — заявила Люба.

— Ты мне напоминаешь одну мамину приятельницу. Когда мне было года тридцать два, я ей сказала, что уже вступила в бальзаковский возраст, так она на меня просто накричала, теперь, мол, все изменилось, и это она в бальзаковском возрасте, а ей было лет шестьдесят пять.

— Неглупая, надо сказать, тетка была. Что-то я сейчас не вижу твоего поклонника. Ну ничего, появится, покажу.

— А сейчас, господа, — сказала Людмила, — мы с вами поедем в мастерскую скульптора Н. Его вдова любезно предоставила мастерскую культурному обществу. Там нас ждет небольшой концерт камерной музыки и возможность передохнуть. Скульптор, гордость израильского искусства, погиб несколько лет назад. В субботу ортодоксально настроенные элементы натянули проволоку поперек дороги, а он ехал на мотоцикле и разбился насмерть.

— Да, страшная штука фанатики, — произнес кто-то рядом, — и еврейские фанатики ничем не лучше других.

Когда мы вылезли из автобуса, Людмила попросила нас подождать несколько минут.

— Кирка, внимание, он опять на тебя лупится.

— Где?

— Вон тот, слева, в голубой рубашке.

Действительно, мужчина лет шестидесяти пристально смотрел на меня, можно сказать, сверлил взглядом. Однако это был не столько мужской взгляд, сколько попытка то ли что-то вспомнить, то ли привлечь внимание.

Что-то в нем мне тоже показалось знакомым. Нет, я определенно его знаю. Мне не хотелось встречаться с ним глазами, прежде чем я вспомню, кто же он такой. И вдруг маленькая женщина в желтой панамке крикнула:

— Марат Ильич! Марат Ильич! Идите сюда!

Вот так номер! Марат! Марат в Иерусалиме! Чудны дела твои, Господи!

— Кирка, это что, тот Марат? — У Любки глаза на лоб полезли.

— Кажется, да.

— Что значит кажется?

— Любашка, да я же его почти двадцать лет не видела... Смотри, он идет сюда, что же делать...

— Кира, сколько лет, сколько зим!

— Да, порядочно.

— Я вас сразу узнал, вы почти не изменились. Странно, я последнее время очень часто вас вспоминаю.

— С чего бы это?

— Видно, время пришло подводить кое-какие итоги.

— Ну и как?

— Ничего лучшего в моей жизни не было.

— С чем вас и поздравляю.

— Кира, не надо желчи! Я и сам все понимаю. Вы здесь в гостях?

— В гостях.

— В Тель-Авиве?

— В Тель-Авиве.

— А я читал курс лекций в университете и вот остался на две недели отдохнуть у друзей. Кира, мы должны увидеться и спокойно поговорить. Мне это необходимо. Ради Бога, дайте ваш телефон. И не надо смеяться. Я позвоню непременно, или нет, знаете что, давайте просто завтра встретимся.

— Завтра я занята.

— Тогда позвольте я все-таки запишу ваш телефон.

— Да записывайте, мне не жалко, все равно ведь зря.

— Кира, не надо, подумайте, ведь прошло двадцать лет, даже чуть больше.

— Да, я заметила.

Тут нас повели в мастерскую, выдолбленную в скале, просторную и прохладную.

— Кирка, что он хочет? — накинулась на меня Любка, деликатно отошедшая при его приближении.

— Телефон.

— Зачем?

— Понятия не имею.

— Кирюшка, ты чего как в столбняке?

— Знаешь, для меня это как-то многовато — Иерусалим с тремя религиями и Марат двадцать лет спустя. Кошмар какой-то!

— Да, не слабо!

— Вот черт, все мне испоганил! Я была в таком восторге, в таком радостном волнении, а тут он, здрасьте вам! И все насмарку! Что это за проклятие такое! И нет чтобы он мне где-нибудь на шуке встретился, нет, именно в Иерусалиме!

— Кирка, возьми себя в руки и не позволяй этому сукиному сыну портить тебе настроение. Еще не хватало! Он этого не стоит!

— Верно, Любашка, ты права! Ты только не отходи от меня, ладно? Не дадимся ворогу! Отряхнем его прах с наших ног к чертям собачьим!

Но, сколько я ни старалась, прежнее состояние духа было бесповоротно утрачено. Во всяком случае на сегодня. Я же оптимистка.

Уже на пути в Тель-Авив Люба шепотом спросила:

— А если он все же позвонит, ты с ним встретишься?

— Сама не знаю. Может быть. Интересно все-таки.

— А про Дашку скажешь?

— Еще чего! Много чести. Перетопчется.

— А Дашке скажешь?

— И не подумаю! Что я ей скажу, сама посуди? Знаешь, доченька, я тут на экскурсии твоего папулю встретила, не желаешь ли на него поглядеть? Так, что ли? Любка, знаешь, я себя героиней сериала чувствую. Венесуэльского.

— Да уж действительно, есть во всем этом какой-то венесуэльский душок.

Мы расхохотались.

В Тель-Авиве, едва мы вылезли из автобуса, Марат решительно подошел ко мне.

— Кира, в какое время вам удобнее звонить? Вы когда встаете?

— О, я встаю очень рано, но сразу же ухожу купаться. Так что лучше звонить вечером.

— Тетки! Вот вы где! — К нам подбегала Дашка. — Мама, ты что, очень устала? Да?

— Это ваша дочь? — изумленно спросил Марат.

— Да.

— Очень красивая!

Любка тем временем ловко отвела Дашу в сторонку.

— А я не знал, что у вас есть дочь.

— А что вы вообще обо мне знаете?

— Ну... так... кое-что знаю, нет, выходит, ничего не знаю. А сколько же лет вашей дочери?

— Двадцать,— брякнула я сдуру и тут же испугалась. Вдруг он догадается? — Ну ладно, Марат Ильич, мне пора. Всего доброго!

— Кира, я завтра вечером позвоню.

Я только пожала плечами.

Дашка сразу приметила, что я не в своей тарелке.

— Мама, что-то случилось? Ты какая-то не такая... Тетя Люба, в чем дело, что с мамой?

— Думаю, она просто устала от впечатлений.

— Тетя Люба, поехали к нам ужинать, у нас от вчерашнего обеда столько всего вкусного осталось!

— Да, Любашка, поехали, — поддержала я дочку, мне боязно было оставаться наедине с нею.

— Хорошо, только ненадолго, а то Лизаня меня со свету сживет.

— Тетя Люба, не надо делать из дочки какого-то монстра. Я ей уже звонила, сказала, что ты у нас поужинаешь, и она нисколько не возражала.

— До чего ж ты предусмотрительная, Дарья! — обрадовалась Люба.

Дома Дашка распорядилась:

— Мамуля, первым делом ступай под душ, тебе сразу полегчает, я тебя знаю!

Когда я вышла из ванной и мы втроем сели за стол, она поспешила доложить:

— Да, кстати, звонил твой Жукентий!

— То есть как? — ахнула Любка. — Алька, что ли?

— Да нет, почему? — удивилась Дашка и вдруг покатилась со смеху. — Тетя Люба, ты что, решила, что это мамин кот звонил, да?

— Ну ты же говоришь — Жукентий. А Жукентий, насколько мне известно, кот?

— Ну, этот Жукентий, может, отчасти тоже кот, но вдобавок еще и архитектор.

— Кирка, что она городит? — недоумевала Люба.

Мне тоже стало смешно.

— Да нет, Любаша, это мой новый поклонник, и звать его Викентий. Так что, сама понимаешь, кличка Жукентий в данном случае неизбежна. А чего он хотел, Жукентий?

— Он хотел ехать тебя встречать, но я не пустила, подумала, что ты будешь усталая, не в форме, и мне же еще влетит.

— Ой, спасибо тебе, Дашутка, ты у меня умница, блюдешь мамочкины интересы.

— Еще бы! Сколько у меня мамочек-то? А если учесть отсутствие папочки, то мамочкина ценность возрастает вдвое!

О Господи!

Так, мило болтая, мы просидели до двенадцати. Потом Даша решила отвезти Любу на машине, и я, воспользовавшись ее отсутствием, быстренько легла в постель. Когда она через четверть часа — Люба жила совсем близко — вернулась, я сделала вид, что сплю. Мне нужно было хорошенько все обдумать.

Марат... В глубине души я всегда знала, что эта встреча когда-нибудь состоится. Первые лет пять я страстно о ней мечтала, а потом жизнь стала брать свое, работа и Дашка поглощали меня целиком. Время от времени возникали какие-то романы, не задевавшие меня глубоко, но дарившие, однако, немало приятных часов. Потом в мою жизнь вошел Юра на правах, так сказать, приходящего мужа, что вполне устраивало нас обоих. Но последние полтора года, несмотря на свой отнюдь не юный возраст, я чувствовала, что созрела для нового романа, быть может последнего... И вот встреча с Жу... тьфу, с Викентием, Котей, как хорошо... И тут здрасьте вам — Марат. Я почти физически ощущала, как душа моя рвется на две части. Что же делать? Но потом я твердо сказала себе: успокойся, голубушка,

Марат твой просто хочет отвести душеньку на свободе, он опять наговорит тебе с три короба, а потом, горестно понурив плечи, исчезнет на просторах родины чудесной. Ты ему на фиг не нужна, просто будет опять надрыв в гостиной, и ничего больше. А Жукентий... В нем столько прелести и никаких взаимных счетов, никакого прошлого, нет, я не позволю Марату сломать мне жизнь еще раз, ни за какие коврижки! Он собирается звонить завтра вечером... Да позвонит ли еще! Но что-то говорило мне, что позвонит обязательно. А впрочем, чего заранее мучиться? Итак, решено, завтрашний день посвящаю Коте, а там видно будет! И вообще, от нас ничего не зависит, а посему положимся на судьбу! С этой благой мыслью я заснула.

Утром я сбегала на пляж, поплавала, вернулась домой на автобусе.

— Мамуля, Жукентий уже звонил! — сообщила Дашка. — С твоей стороны, мамуля, это чистейшее свинство, у меня сегодня последний свободный день, а ты намерена смыться с Жукентием!

— Дашутка, прости, я не подумала! Хочешь, я пошлю его к чертовой матери?

— Не вздумай! И вообще, я пошутила, в два часа возвращается Данила, так что я буду не очень одинока!

— Ой, у меня все из головы вон!

— Да, если в твоем возрасте крутить сразу с двумя мужиками.

— С двумя? Где ты второго-то обнаружила?

— На автобусной станции. Этот пожилой господин смотрел на тебя глазами, полными любви и страсти.

— Даша, ты в своем уме?

— В своем, мамуля, в своем! Да и у тебя лицо было какое-то... перевернутое. Признавайся, кого ты еще закадрила?

— Никого я не кадрила, просто случайно встретила одного старого знакомого, малоприятного, надо заметить. Мы с ним не виделись бог знает сколько лет...

К счастью, в этот момент зазвонил телефон. Викентий.

— Кирочка, доброе утро! Как съездили?

— Чудесно, масса впечатлений.

— Что-то большого энтузиазма в голосе не слышу, ну да ладно, поговорим при встрече. Итак, какие планы?

— Я в вашем распоряжении.

— Вы уже готовы?

— Буду готова через полтора часа.

— Мне зайти за вами или встретимся в городе?

— Встретимся в городе.

— Хорошо, в половине двенадцатого возле синагоги на Алленби. Договорились?

— Да.

— Жду с нетерпением!

— Найдешь дорогу? — спросила Дарья.

— Обижаешь, начальник!

— Нет, я все-таки довезу, мне так спокойнее будет.

— Дашка, не выдумывай! Я каждое утро бегаю на пляж, и ты не боишься, что я заблужусь, а тут вообще десять минут ходу по той же самой Алленби, а ты вдруг забеспокоилась. Может, боишься, что я на другое свидание подамся?

— С тебя станется. Что-то мне этот таинственный незнакомец из автобуса не нравится.

— Плесни-ка мне еще кофе! — предпочла я перевести разговор.

— Мне он не нравится, — гнула свое Даша, — тем, что ты приехала сюда радостная, а теперь в тебе как будто трещина появилась... и явно после Иерусалима.

Господи, да она насквозь меня видит! Впрочем, неудивительно. Меня все насквозь видят, на моей физиономии отражаются все мои чувства и мысли. Петя, друг моей молодости, говорил: «Кирка, прикрывай лицо газетой!» Мне казалось, что с годами я научилась немного владеть собой, но, видимо, я обольщалась.

— Что ты мелешь, Дарья, какая трещина?

— Ладно, я знаю, что говорю. Поэтому предпочитаю сдать тебя Жукентию с рук на руки.

Оставалось только засмеяться и пожать плечами.

Дашка и впрямь доставила меня до места. Викентий уже ждал с букетиком цветов.

— Даша, как удачно, что вы приехали! Я купил вашей маме цветы, а потом подумал, что в данной ситуации это довольно глупо, они через час завянут. А посему позвольте вручить эти цветы вам.

С ума сойти, до чего галантен!

Благодарно заверещав, Дашка села в машину и укатила с моим букетом.

— Ну что, Кира, идем в Яффу?

— Идем!

Он взял меня под руку, и мы неспешно, с удовольствием, пошли по улицам и улочкам. Идти с ним было необыкновенно приятно, легко, совсем не пришлось приноравливаться друг к другу. Далеко не со всяким удобно ходить под руку. Оказалось, что он прекрасно знает историю. В отличие от меня. Мне ни секунды не было с ним скучно, а что может быть важнее в отношениях с мужчиной? По крайней мере в моем возрасте. Он привел меня в Абрашин парк — дивной красоты место, откуда открывается упоительный вид на море и город. К сожалению, музей Мейслера оказался закрыт.

— Не беда, придем сюда еще раз, правда, Кира?

— Непременно, я хочу здесь порисовать. Вам не будет скучно, если я буду рисовать?

— Как мне может быть скучно с женщиной, которая волнует меня до головокружения?

Ого! Вероятно, к концу прогулки он предложит мне поехать с ним в пустую квартиру племянника.

— Кира, вы не голодны?

— Нет, а вы проголодались?

— Пока нет, а как насчет мороженого?

— О, с удовольствием.

— Вон там кафе. Называется «Аладдин». Зайдем?

— Зайдем!

Это было небольшое кафе, оформленное в стиле арабских сказок, с громадной лампой — какой же Аладдин без лампы? — и с видом на море. Мы с наслаждением уселись на открытой террасе. Нам тут же подали карточки.

— Кира, выбирайте!

— Котя, я полагаюсь на вас.

— В таком случае предлагаю фирменное мороженое «Аладдин».

— Оно же страшно дорогое!

— Пусть вас это не беспокоит. Решено, пробуем «Аладдина».

Подошла официантка, молоденькая девчонка. Викентий шикарно, на иврите, сделал заказ.

— Аладдин, па маим[1].

— Па маим?

— Па маим.

Пожав плечами, девица удалилась.

— Кира, хотите вина?

— Нет, ни в коем случае, меня развезет.

— Что с вами случилось, Кира?

— Со мной? Ровным счетом ничего.

— Неправда, я же чувствую, что вас что-то гнетет. Какие-то неприятности? Скажите мне, вы же видите, я вам друг.

---

[1] Здесь — две порции (ивр.).

— Друг?

— Еще и друг.

— О Господи! — вырвалось у меня, когда официантка плюхнула на стол здоровенное корытце с «Аладдином». И столовую ложку. — Ничего себе! Но выглядит аппетитно.

— Терпение, Кира, сейчас она подаст вазочки, и мы попробуем этот шедевр!

Но вместо вазочек девица приволокла еще одно точно такое же корытце со столовой ложкой.

— Что это? — недоуменно спросил Жукентий.

— «Два Аладдина», — объяснила я, давясь от хохота.

Его тоже разобрал смех.

— Котя, как же мы это съедим?

— А вдруг это вообще гадость? — уже почти рыдал он.

Скандинавы, сидевшие за соседним столиком, смекнув, в чем дело, тоже расхохотались.

Я первой взяла себя в руки и попробовала злосчастного «Аладдина». Это было нечто волшебное! Сверху взбитые сливки с шоколадом, под ними разные фрукты и орехи, а внизу четыре сорта мороженого.

— Вкусно? — с опаской спросил Котя.

— Божественно! Но съесть это все равно нельзя!

— А куда нам спешить? О, и в самом деле вкусно!

— Не то слово!

— Кира, по-моему, съесть этого араба попросту дело чести!

К счастью, этот эпизод снял возникшее было напряжение. Мне стало опять уютно и весело. Тень Марата растворилась в солнечном воздухе Израиля.

— Все, больше не могу, — заявила я, откладывая ложку.

— Кира, вы позорно бежите с поля боя!

— Бегу. Еще ложка — и меня стошнит.

— Тогда и я из солидарности не стану доедать.

— Из солидарности? Да вы уже давно давитесь этим треклятым «Аладдином»!

— Что верно, то верно! Пошли отсюда, Кира, глаза бы мои на эту арабскую экзотику не глядели!

— Красиво, ничего не скажешь, почтенные немолодые люди обожрались мороженым, как какие-нибудь огольцы!

— Почему это мы немолодые? — возмутился Викентий. — Вы вообще молодая красавица...

— О!

— А я влюблен в молодую красавицу, причем с первого взгляда, следовательно, я тоже молодой.

— Молодой дедушка! — поддразнила я его.

— Ну и что? Кто сказал, что дедушки не влюбляются? Если бы знали, Кира, как мне с вами хорошо...

— Мне с вами тоже. Как будто я вас сто лет знаю, могу говорить о чем угодно...

— Да?

— Да!

— Кира, а что если на правах влюбленного я задам вам несколько бестактных вопросов?

— Задавайте, все равно рано или поздно придется на них ответить.

— Умница, сообразили, что теперь я вас не отпущу. А потому имею полное право знать, почему вы одна, кто Дашин отец, жив ли он, и если да, то где он?

— Дашин отец? — Я тянула время, не зная, что ответить. А потом решилась: — Котя, я могу рассчитывать на ваше молчание?

— Безусловно.

— Так вот, Дашиного отца я вчера встретила в Иерусалиме. Мы ехали в одном автобусе, а до этого не виделись двадцать лет. Даша ничего о нем не знает. И не должна узнать.

— Вы его любили?

— Безумно. Это даже и любовью нельзя назвать, это была болезнь, лихорадка.

— И он, вероятно, струсил?

— Увы.

— И что же дальше?

— А дальше — Дашка.

— Он ничего о ней не знает?

— Нет.

— А что она знает?

— Знает, что был такой и сплыл.

— А как она к этому относится?

— Более чем спокойно. Когда ей было лет тринадцать, она меня приперла к стенке, пришлось ей все рассказать. Тогда она заявила — раз мы ему не нужны, то и он нам не нужен. На этом вопрос был закрыт раз и навсегда.

— Тогда почему вы в таком смятении?

— Сама не знаю.

— Вы еще любите его?

— Боже упаси!

— Он что-то хочет от вас?

— Да. Хочет поговорить.

— Вы согласились?

— Да.

— И когда же состоится встреча?

— Он будет звонить.

— А вы хотите с ним встретиться?

— Не пойму...

— Кира, только честно?

— Честно? Хочу, очень хочу. Особенно теперь, когда у меня... есть вы.

— Кира, милая моя...

— Нет, правда, с вами я чувствую себя защищенной, как никогда раньше, хотя мы с вами видимся всего третий раз.

— Это не имеет значения! Кира, выходите за меня замуж!

— Замуж? Так сразу? — перепугалась я.

— А что, слабо?

— Не в этом дело, просто я считаю, что надо выходить замуж за человека, которому захочется стирать носки.

— Носки? Оригинальный подход, но в этом что-то есть! Конечно, с трех встреч носки стирать ни одной нормальной женщине не захочется. И за всю жизнь вам так и не встретился мужчина, которому бы хотелось стирать носки?

— Только один.

— Он?

— Да.

— И в Иерусалиме вас вновь охватило желание стирать ему носки?

— О нет!

— Кира, предупреждаю, я буду за вас бороться!

— С кем?

— Прежде всего с вами. И, уверен, сумею добиться, чтобы вы с восторгом стирали мои носки.

Он вдруг втолкнул меня в какую-то подворотню и крепко обнял.

— Чудачка моя милая!

Мы долго целовались в подворотне, как молодые, весело и радостно.

— Может, поедем ко мне? — не без робости предложил он.

— Нет, сегодня невозможно, приезжает зять, это будет просто неприлично. Но если хотите, пойдемте к нам.

— Это не совсем то...

— Я понимаю, но...

— Хорошо. Согласен. Я еще свое возьму!

— А вы и вправду нахал.

— Я же предупреждал вас.

Уже подходя к дому, он вдруг сказал:

— Наше дело правое. Победа будет за нами!

Дома зять приветствовал меня:

— О, моя любимая теща, наконец-то пришли!

— Вот, познакомьтесь, это Викентий Болеславо-вич, а это Даня, мой зять!

— Очень приятно!

— Мама! Сейчас придут Лиза с Пашей и тетя Люба, — сообщила Дашка. — Ну как погуляли, где были?

— Даша, если вы немедленно не дадите нам чего-нибудь солененького, мы можем умереть!

— Вы что, беременные?

— В известном смысле...

— Мама, что это значит?

— Ничего особенного, мы просто обожрались мороженым! До тошноты!

Перебивая друг друга, мы с хохотом поведали о нашем злоключении в кафе «Аладдин».

— Я бы съела, — мечтательно сказала Дашка.

— Да запросто! — поддержал ее муженек.

Тут явилась Люба с семейством. Лиза с Пашей тоже заявили, что могли бы съесть сколько угодно мороженого. Потом все уселись за стол. Викентий порывался бежать за вином, но мы его не пустили. Я вышла на кухню, за мною тут же поспешила Любка.

— Кирюшка, какой прелестный мужик!

— Нравится?

— Блеск!

— Мне тоже нравится!

— Слава Богу, а то я уж испугалась — опять этот недопесок объявился!

— Почему недопесок? — искренне удивилась я.

— А потому что назвать его собакой язык не поворачивается, собаки такие хорошие животные, а он так, недособака какая-то.

— Любашка, ты что, всерьез полагаешь, будто недопесок — это недособака?

— Да, а что?

— Чувствуется философский факультет!

— А что же это такое — недопесок?

— Это, Любочка, песец, вернее, подросток песца.

— Да уж, подростком твоего Марата не назовешь.

В кухню заглянул мой зять.

— Кира Кирилловна, вас к телефону!

— Кто?

— Не знаю, мужской голос.

Ни на кого не глядя, я прошла к телефону.

— Кира!

Конечно же, это был Марат.

— Вот я и позвонил, Кира!

— Да, не прошло и четверти века.

— Кира, где ты купаешься?

Вопрос был настолько неожиданным, что я сразу ответила:

— На пляже напротив Алленби. А что?

— Просто ты сказала, что купаешься каждый

день в городе, вот я и подумал, может, лучше поехать куда-нибудь?

— Купаться?

— А почему бы и нет? Друзья дают мне машину, давай поедем в Нетанию или в Аквапарк?

— Ну, не знаю... А впрочем, нет, вы хотели о чем-то со мной поговорить, а для этого никуда ехать не надо. Если уж это так необходимо...

— Абсолютно необходимо!

— Хорошо. Где и когда?

— Фонтан на Дизенгофф знаешь?

— Знаю.

— В час дня, идет?

— Идет.

— Кира, дорогая... Жду с нетерпением. Надеюсь, ты сможешь меня понять.

— Вряд ли.

— До завтра, дорогая.

Нет, это просто мистика, почему я согласилась? Какого черта мне тащиться на Дизенгофф? Это довольно далеко, надо ехать на автобусе, народу там уйма... Ну да что уж теперь рассуждать... Когда я вернулась к столу, у Коти было очень напряженное и какое-то чужое лицо.

— Это он звонил?

— Да.

— И ты пойдешь к нему?

— Не к нему, а к фонтану, — неловко пошутила я.

— Отказаться ты не могла?

— Нет, мне интересно, что он скажет.

— А я умру от ревности.

— Вот еще! Какая тут ревность, он — уже далекое прошлое.

— Кира, — прошептал он, — обещай мне, что потом ты пойдешь ко мне. Да?

— Там видно будет.

— Кира!

— Котя!

Вот уж не предполагала, что мое пребывание в Израиле окажется таким бурным!

Рано утром я отправилась на пляж. Ночь я спала плохо — сердце билось уж очень неровно и от стремительного развития романа с Котей, и от предстоящей встречи с Маратом. Да, в моем возрасте такие приключения несколько утомительны. Хотя и занятны. Наплававшись, я вернулась домой, открыла дверь ключом и замерла, привлеченная довольно громким разговором на кухне. Моя дочь и зять явно не слышали, что я вернулась.

— ...Нет, ты подумай, такой золотой мужик, а ее куда-то в сторону тянет! — говорила Даша. — Знаешь, Данька, что я думаю? Уж не мой ли это папаша объявился?

Господи помилуй!

— С чего это ты взяла?

— Да очень все подозрительно. Говорит, встретила в Иерусалиме какого-то старого малоприятного знакомого. Ну и что? Ты же знаешь, она такая открытая, с шуточками о чем угодно может расска-

зать, а тут чего-то затаилась, вся какая-то не такая...
Вот вчера вернулась с этим Жукентием радостная,
приподнятая, а потом тот позвонил — и она уже
сама не своя. Что за тайны такие вдруг? За всю
жизнь она от меня, по-моему, только его и скрывала... папашу... Ты же знаешь, какие у нас с ней
отношения... очень, очень подозрительно...

Я стояла, замерев от ужаса. Знаю, нехорошо
подслушивать, но я была не в силах сдвинуться с
места.

— Дашенька, а может, ты преувеличиваешь? Ну
мало ли какие у твоей мамы могут быть тайны!

— Нет, чует мое сердце — это он!

— Ну и что с этим делать?

— Не знаю... Вообще-то мне ужасно интересно
на него взглянуть!

— Ты же его видела.

— Да что я там видела! Какой-то дядька на
автобусной станции. Если бы я знала...

— А он тебе нужен?

— Нужен? Сама не знаю. Но все же интересно, какой он.

Что же мне делать?

Я громко хлопнула дверью, и тут же Даша выскочила из кухни.

— Мамуля, ты пришла! Прости, но мы уже по-
завтракали, нам пора бежать!

— Да бегите ради Бога! Я уж как-нибудь сама
поем. Ты мне только скажи, как доехать до Дизен-
гоффа.

— А зачем тебе туда? Хочешь что-то купить? Но там ведь ужасно все дорого.

— Купить не купить, а глаза полупить! Хочется пройтись по хорошим магазинам, а вдруг что-нибудь и подыщу по карману!

— Кира Кирилловна, простите, мне пора. До вечера. Дашка, ты идешь?

— Нет, я через десять минут. Иди! Пока!

Так, сейчас начнется дознание.

— Мам, у тебя что, свиданка на Дизенгоффе? Признавайся! Впрочем, можешь ничего не говорить, у тебя и так все на лице написано. И конечно, свиданка с тем типом, да?

— Да никакая это не свиданка, просто попытка выяснить одно давнее недоразумение, только и всего.

— А это недоразумение случайно не Дашей зовут?

— Что?

— Этот тип часом не папочка мой?

— Что за чушь? С чего ты взяла?

— Мамуля, ты же знаешь, у меня дедукция очень развита! Ладно, не хочешь говорить — не надо. Я сама разберусь.

— Дарья, не вздумай лезть не в свое дело! Это совершенно посторонний человек...— В мозгу забрезжила лживая, но спасительная идея. — Если хочешь знать, это бывший любовник Алевтины, который в свое время очень гнусно с ней поступил и теперь хочет оправдаться. Уверяет, что это было всего лишь недоразумение, а ты невесть что вообразила! — Я уже чувствовала себя на коне. — И вообще, имей в виду, Жукентий мне вчера сделал предложение!

— А что я тебе говорила! — завопила Дашка. — Вот здорово! Ты, надеюсь, ему не отказала?

— Отказала, но не окончательно.

— Оставила надежду?

— Вот именно.

— Ой, мамуля, какая же ты у меня...

— Ну уж говори, добивай.

— Ветреница!

Вот что значит воспитывать дочь на хорошей литературе!

Итак, через три с лишним часа я увижу Марата. Долгонько мне пришлось ждать этого свидания. Но я должна прийти во всем блеске! Первым делом вымыть голову, принять душ, намазаться кремами и непременно полчаса полежать с закрытыми глазами. Все это я тщательно проделала и, когда волосы высохли, начала краситься медленно, с чувством, с толком, с расстановкой. Странно, собираясь вчера на свидание с Котей, я не приложила и сотой доли таких усилий. Так, причесалась, чуть подмазалась, и все, а сегодня как будто собираюсь на самое главное в жизни свидание. А ведь так оно и есть, черт возьми! Это действительно главное свидание, ну если не в жизни, то за последние двадцать лет уж точно. Что же мне надеть? Выбор туалетов у меня не слишком велик. Ну, конечно, белый костюм! Я его еще ни разу не надевала. Этот костюм я, замирая от собственной расточительности, купила перед отъездом в дорогом итальянском магазине и собиралась надеть его на наш с Дашкой день рождения. Мы с нею родились в один день — 1 апреля. Белая юбка из мягкого шелка, элегантный белый пиджак, чуть более плотный, и очаровательная ярко-синяя блузка. Облачившись во всю эту роскошь, я посмотрела на себя в зеркало. Очень придирчиво. А я еще ого-го! Хотя волосы у меня темные, а глаза серо-зеленые, мне почему-то страшно идет синий цвет. Здесь я посвежела — ежедневные купания, морской воздух, да и Жукентия нельзя сбрасывать со счетов, романы всегда женщинам к лицу. Короче говоря, я осталась очень собой довольна. Синие босоножки на маленьком каблуке и синяя же сумка довершили ансамбль. Итак, я готова к встрече с прошлым!

И в таком вот виде садиться в автобус? Нет уж, дудки, случай, прямо скажем, экстраординарный, можно взять такси!

Я вышла из дому, и тут же как по заказу подъехала машина. Я села рядом с шофером. Он вопросительно взглянул на меня.

— Дизенгофф! — сказала я очень внятно, надеясь, что это он поймет. Но шофер вдруг заговорил по-русски:

— Когда такая нарядная и красивая дама с улицы Ханон-гресс едет в такси на Дизенгофф, значит, у нее там свидание. И наверное-таки богатый хахаль? Скажите, я не прав?

— Только отчасти.

— От какой?

— Свидание — это верно, а вот богатый хахаль — увы!

— А зачем вам бедный? Может, он молодой?

— О нет!

— Или у вас было мало бедных, зачем вам, простите, в вашем возрасте еще один? Вы таки красавица, можете найти богатого!

— Скажите, вы не из Одессы?

— Точно. С Одессы. А вы, похоже, с Москвы?

— Да.

— И давно?

— Неделю.

— Так вы тамошняя? В гости приехали?

— Да, в гости.

— Ой, ну и как там Москва? Не совсем еще развалилась?

— Наоборот, строится вовсю, реставрируется.

— Простите за нескромный вопрос, мадам, этого вашего босяка вы уже здесь подцепили?

— Да нет, просто встретила старого знакомого.

— Старую любовь?

— Пожалуй.

— И, судя по вашему костюмчику, хотите поразить его в самое сердце? Да?

— Да!

— У вас таки получится! Это вам говорит старик

Гольдман! А он таки знает жизнь! Вот, мадам, мы и приехали!

— Спасибо вам на добром слове!

— О! Московские интеллигентки еще дают на чай! Дай Боже вам здоровья и удачи, мадам!

Конечно, я приехала на двадцать минут раньше. Ну что же, не так уж плохо, немного остыну, нечего ему видеть, как я волнуюсь. Совершенно излишне. Я села за столик в уличном кафе напротив фонтана, взяла стакан сока и стала ждать. Ни за что не приду вовремя. Хоть на десять минут, да опоздаю. Пусть помается. Время тянулось еле-еле. Странно, но я вдруг совершенно успокоилась, все страхи и сомнения развеялись, и мною овладел веселый азарт. Сейчас я хозяйка положения, а значит, и держаться надо соответственно. Ничего, отольются кошке мышкины слезки! И вот я заметила его. Чуть вразвалочку он приближался к фонтану. Народу там было много, и я не могла все время видеть его. Он то появлялся, то исчезал — ходил взад-вперед и внимательно вглядывался в прохожих. Я глянула на часы — без пяти час. Значит, мне тут сидеть еще минимум десять минут. Да, но как их прожить? Мороженое, что ли, взять? Ох нет, только не мороженое! Кажется, я никогда больше не буду его есть. И хотя я не курю, пришлось купить пачку сигарет. Ровно час. Вот выкурю сигарету и пойду. Марат теперь стоял так, что я могла его видеть. Да, он постарел, однако выглядит неплохо для своих лет. Волосы, конечно, поредели, но лысины не видно. Курит одну сигарету за другой, волнуется, голубчик! Интересно все-таки, что ему от меня надо? Ну и удивятся же мои московские подружки. Уж сколько лет я о нем даже не упоминала... Пора! Пять минут я уже протянула, еще две минуты, чтобы дойти не спеша.

Он заметил меня и кинулся навстречу.

— Кира! Наконец-то! Я так волновался! О! Какая ты...

— Из-за чего вы волновались, Марат Ильич?

— Боялся, что ты не придешь.

— По себе судите, Марат Ильич. Я человек обязательный.

— Кира, пожалуйста, не надо называть меня на «вы».

— Помилуйте, Марат Ильич! Мы с вами едва знакомы. Два дня двадцать с лишним лет назад вряд ли дают основания для фамильярности.

Конечно, я вела себя как последняя сука, но зато как я наслаждалась!

— Кира, я вполне понимаю твое желание отыграться за все... Но поверь, я и сам осознаю... Давай посидим где-нибудь, где можно поговорить. У меня тут неподалеку машина, поедем к морю, а то здесь такая толкотня. Ты не возражаешь?

— Нет. К морю так к морю.

Он взял меня под руку, и мы молча направились к машине, которую он оставил на другой улице. Усадив меня, он сел за руль, и мы тронулись.

— Как тебе Тель-Авив? — спросил он.

— Мне очень нравится!

— Но не сравнить с Иерусалимом!

— Это совсем другое! А вы здесь уже недурно ориентируетесь.

— Я сорок лет за рулем и мгновенно ориентируюсь в любом городе, особенно при наличии карты. И потом, я здесь уже второй месяц. А ты надолго приехала?

— На месяц.

— К дочери?

— Да.

— Она давно здесь?

— Два года.

— Замужем?

— Да.

Господи, пронеси!

— Значит, теперь вы уже не так засекречены, как раньше? — решила я перевести разговор.

— Да нет, сейчас уже все нормально, я за последние шесть лет полмира объездил. Я ведь теперь еще и проректор.

— Выходит, пользуетесь служебным положением?

— В некотором роде, — хмыкнул он. — А ты замечательно выглядишь, я просто глазам своим не поверил, когда увидел тебя. Надо же, где довелось встретиться — в Иерусалиме. Тебе не кажется, что это неспроста?

— Вы усматриваете здесь какое-то предопределение свыше?

— Может быть.

— Чепуха, — отрезала я, хотя сама была в этом твердо уверена. Но не могла же я так быстро с ним согласиться!

— Не скажи. Одновременно оказаться в Израиле, попасть на одну экскурсию — согласись, в этом что-то есть!

— Обычное совпадение.

— А странно, за все эти двадцать лет мы столкнулись только один раз, помнишь, на Старый Новый год, в Доме литераторов?

— Еще бы не помнить!

— А ты меня даже не узнала!

— Просто никак не ожидала тебя там встретить. — Я и сама не заметила, как перешла на «ты».— Я так хотела тебя видеть каждый час, каждую минуту своей жизни, что твое лицо сплылось в памяти.

— Как сейчас помню, ты в синем платье танцевала с очень красивым мужчиной.

— Это был муж подруги. Но зато, едва я тебя узнала, ты предпочел смыться.

— Но я ведь был с женой!

— Тогда зачем ты так сверлил меня взглядом? Именно этот взгляд и привлек мое внимание.

— Мне было обидно, что ты меня не замечаешь, не узнаешь.

— Ах, тебе было обидно! — задохнулась я. Тише, Кира, тише, а то сейчас тебя понесет. Я замолчала, хотя больше всего мне хотелось вцепиться ему в остатки волос.

Я так живо помнила этот момент — ни о чем не подозревая, я танцевала с Андреем, ныне уже покойным мужем Алевтины и моим добрым другом. Какой-то мужчина, топтавшийся с сушеной воблой в бордовом платье, поздоровался со мною кивком головы. Я ответила ему, мало ли кто может со мной поздороваться. Но этот человек не спускал с меня глаз, и до меня вдруг дошло — Марат!

— Андрюшенька,— простонала я,— знаешь, кто этот мужик?

— Не имею представления!

— Марат!

— Кирюха, опомнись, тебе мерещится!

— Честное слово, ей-богу, это он!

Мимо протанцевала Алевтина. Я поймала ее за рукав.

— Алька, видишь мужика в сером костюме и голубой рубашке? Это Марат!

— Перекрестись, подруга, откуда он тут возьмется?

— Алька, клянусь, это он!

— Да где, где?

— Вон там, с тощей бабой в бордовом!

Тем временем Марат, заметив мое волнение, решил дать деру и мало-помалу начал утанцовывать свою даму к выходу из зала. Андрей попытался уволочь меня через другие двери, но у меня, как назло, жутко свело ногу. Ни туда ни сюда! Верная Алевтина конечно же помчалась за Маратом на разведку. И вскоре вернулась с сообщением, что он скрылся в уборной.

— Я, понятно, не могла туда за ним сигануть, ждала снаружи очень терпеливо, но он, видно, сумел незаметно смыться или же со страху утопился в унитазе. Знаешь, подруга, наплюй ты на своего Дантона раз и навсегда. Ну, поглядела я на него. Ничего особенного, таких страстей безусловно не стоит.

— А ты глаза его видела?

— Глаза? Нет, глаз не видела. Только брови. Брови у него знатные!

— Алька, что с тобой, какие брови?

— Косматые! И к тому же он их так сурово насупил, как будто враг уже захотел его сломать!

— Алька! — взмолилась я. — Что ты мелешь?

— Но сурово брови мы насупим, если враг захочет нас сломать, как невесту Светочку мы любим, бережем как какую-то там мать! — пропела Алевтина.

Потом, уже за столиком, Мишка-большой на правах медика растирал мне ногу, а я рыдала как последняя идиотка.

— Ну что ты ревешь, горе мое? — утешал меня Андрей. — На хрен тебе этот слабак сдался? Я вот познакомлю тебя с одним оператором, — Андрей был режиссером на телевидении, — мужик что надо! Он снимал один сюжет, вися вниз головой из вертолета! Представляешь?

— А мне-то что до этого, — заливалась я слезами.

— Дура, чего ревешь? — накинулась вдруг на меня Алевтина. — Ты лучше подумай, как тебе повезло! Ты могла столкнуться с ним зачуханная, взмыленная где-нибудь в магазине, с сумками, ненамазанная, и вообще, а тут — на балу, в новом платье, с красивым мужиком, только подумай, как в кино! Он же этого до смерти не забудет!

И оказалось, он в самом деле не забыл!

— О чем ты задумалась? — спросил Марат.

— А ты тогда здорово струсил, да?

— Было дело.

— Ты что же, решил, что я устрою публичный скандал?

— Ну мало ли, нетрезвая женщина вполне способна...

— Ах, нетрезвая? Всего лишь нетрезвая? Так, значит? Не смертельно оскорбленная, а просто нетрезвая? Сию минуту останови машину! Выпусти меня!

— Кирочка, прости ради бога, я просто неловко пошутил.

— Дурак! — сквозь зубы прошипела я.

— Дурак, признаю.

Но сама-то я хороша, какого дурака сваляла! Всю мою невозмутимость как рукой сняло! Я готова была разрыдаться от давней обиды, сотни злых язвительных слов вертелись у меня на языке, но нельзя, нет, ни в коем случае! Как говорится, лопни, но держи фасон. Я и вправду чуть не лопнула!

— Ладно, оставим старые счеты, — проговорила

я, еле ворочая пересохшим от злости языком. — Куда ты меня везешь? Я смертельно хочу пить.

— Потерпи еще пять минут!

И действительно, минут через пять он затормозил возле очень милого загородного ресторанчика, стоящего на самом берегу моря.

— Славное местечко, верно?

— Кажется, да, — сухо отвечала я.

Хозяин ресторанчика оказался бывшим москвичом и вдобавок бывшим аспирантом Марата.

— О! Марат Ильич! Добро пожаловать, страшно рад вас снова видеть. Выходит, вам у нас понравилось, раз приехали сюда с дамой? Прошу, прошу! Мадам, где вы предпочитаете сидеть, на воздухе или в зале? Я бы советовал сесть на террасе, сегодня чудесная погода! Вы представляете, мадам, две недели назад вдруг приезжает компания, я смотрю и глазам своим не верю — мой научный руководитель, завкафедрой, к евреям ни с какого боку отношения вроде бы не имеет, и вдруг тут, в моем ресторане! Вы думаете, мадам, я хоть на одну минутку пожалел, что бросил точные науки? Ни боже мой! Это была голубая мечта моей мамы — видеть меня кандидатом наук. Ну ради мамы чего не сделаешь, я преподнес ей свою ученую степень, а потом сделал ручкой и уехал на историческую родину. Ну не сразу, ну поманежили меня четыре года, но что такое четыре года в сравнении с целой жизнью! Когда я думал, что до конца дней буду заниматься этой, простите, Марат Ильич, чепухой, меня такая тоска брала! А тут маленький ресторан на берегу моря, приезжают разные люди, кто с женой, кто с дамой, а ты их приветишь, напоишь, накормишь, поговоришь за жизнь, правда теперь почти все говорят исключительно о деньгах, но все равно бывают очень интересные люди, Миша Козаков запросто приезжает, другие разные знаменитости, про которых в Союзе я только мельком слыхал...

— Сеня, — попытался перебить его Марат.

— ...и все Сеню уважают, у Сени уютно, Сеня вкусно кормит, а кто в Союзе уважал занюханного кандидата?

— Вы большой молодчина, Сеня! — встряла я, утомленная его монологом. — Самое главное в жизни — найти свое место, и вам это удалось! — изрекла я глубоко банальную истину.

— О мадам! Я сразу увидел, что вы умная женщина! Марат Ильич, у вас, прошу прощения, отличный вкус! Но я, кажется, разболтался, что поделаешь, у меня длинный язык! Мой папа, царствие ему небесное, всегда говорил: «Сеня, у тебя будут неприятности с советской властью через твой длинный язык!» У меня таки были неприятности с этой властью через все — через длинный язык, через, прошу прощения, укороченную другую часть тела, Боже избави, не мою, а моего папы, но я все-таки умел ее обдурить, эту власть, кончил школу с золотой медалью, поступил в институт, а в ваш институт, Марат Ильич, не очень-то любили принимать нашего брата, защитил диссертацию, дай Боже вам здоровья, но стоило Сене уехать, как вся эта власть накрылась, дай Боже здоровья Горбачеву! До чего жалко, что папа мой не дожил до ее конца...

— Сеня, помилуй, моя дама умирает от жажды!

— Ой, прошу прощения, мадам! Что будете пить? Советую попробовать мой фирменный оранжад!

— Да, Кира, это страшно вкусно! — сказал Марат.

— Юлька! — крикнул Сеня. — Подай кувшин оранжаду!

Буквально через полминуты примчалась прехорошенькая деваха лет двадцати, с огромным задом и толстыми ножищами, в ярко-красной мини-юбке.

— Юлька! У тебя все дома? Ты чего так заголилась?

— Дядя Сеня, это теперь моя длина!

— Я тебе покажу твою длину! Чтобы я этого безобразия больше не видел! Это ж надо! Ее длина! А что будем кушать? Хотите сами выбрать или положитесь на меня?

— Полностью полагаюсь на вас! — сказала я. Его болтовня разрядила и успокоила меня. Ко мне вернулось хорошее настроение. — Марат, а почему этот Сеня, москвич, кандидат наук, говорит как местечковый еврей? Он всегда так говорил?

— Да нет, это, наверное, для колорита, или гены взыграли. Тебе тут нравится?

— Да, вот если бы он еще поменьше болтал!

— Сейчас просто очень рано, посетителей мало, а потом ему будет не до нас.

Мы сидим и молча смотрим друг на друга. Его глаза по-прежнему прекрасны, они завораживают меня, в них неподдельная боль. И что-то еще... Что же это? Неужели любовь?.. Неужели я оказалась права и он все эти годы помнил и любил меня? Несчастный человек — из трусости похоронил в себе любовь, а она через двадцать лет все-таки рвется наружу... Да нет, вероятно, мне просто хочется тешить себя этой мыслью...

— Кира, ты простила меня?

— Считай, что простила, как это у юристов называется — за давностью. Знаешь, я столько раз представляла себе нашу встречу, так мечтала все тебе высказать, а сейчас вот почему-то не хочется.

— Но ты же все высказала в том письме, — не без ехидства произносит он.

— В каком письме?

— Разве ты в свое время не написала письмо в партком?

— Я? В партком? Да ты в своем уме?

— Ну, ты не адресовала его в партком, но оно туда попало. И я был уверен, что ты все так и задумала.

— Что? — взвилась я. — Я задумала послать письмо в партком? Да, я помню, я написала тебе письмо, это был акт отчаяния, попытка поставить точку, но при чем здесь партком?

— При том, что кафедра моя была засекречена и

все личные письма автоматически попадали в первый отдел. Твое письмо тоже туда попало, а оттуда его передали в партком! Спасибо, секретарь парткома был свой парень, а то у меня могли быть большие неприятности.

— Но ведь из этого письма следовало только, что какая-то бабенка в тебя влюблена, а ты, как высокоморальный советский человек, ее отвергаешь.

— Да, но оттуда еще следовало, что у нас с тобой что-то было, а моя жена, между прочим, работала в том же институте.

— Воображаю, как ты струсил!

— И не говори!

— Боже мой, Марат, неужели ты настолько не разбираешься в людях, что подумал, будто я решила отомстить тебе с помощью партийной организации? Извини, я полагала, что ты умнее. Еще одной иллюзией меньше. Вот уж не думала, что ты сможешь еще чем-то разочаровать меня спустя двадцать лет!

— Кира, не надо так! Ты — это лучшее, что было у меня в жизни! Когда мне совсем худо бывало, я вспоминал наши встречи, а когда у меня случился инфаркт, старый врач в больнице мне сказал: вы только не бойтесь: лежите себе и думайте о чем-нибудь приятном, о красивой женщине, о рыбалке, если вы рыбак... И я думал о тебе, может быть, эта мысль и спасла меня.

— Но почему же ты ни разу даже не позвонил?

— Я боялся...

— Чего?

— Того, что ты бросишь трубку, того, что я тебе совсем уже не нужен. А ведь я любил тебя все эти двадцать лет, только загонял эту любовь куда-то в подсознание, а вот увидел — и не могу больше сдерживаться, я люблю тебя! Понимаю, мой поезд давно ушел, но лучше поздно, чем никогда... Я рад, что смог сказать тебе об этом!

— Марат, Марат, что же ты наделал?!

Мне бы радоваться своей проницательности, а я была в отчаянии. Мне бы с презрением посмеяться над его трусостью, а сердце мое разрывалось от жалости. О нет, только не это, жалость может завести меня черт-те куда!

— Ты совсем уже не любишь меня, ни капельки? — спросил он, и в голосе его было даже что-то детское.

Душа моя рвалась к нему, мне хотелось крикнуть — люблю, люблю, — но я благоразумно молчала. Однако моя окаянная физиономия, похоже, вновь выдала меня.

Он пристально смотрел мне в глаза, и выражение его лица менялось. Глаза засветились восторгом. Никогда не видела таких красивых глаз. Только у Дашки.

— Вот, прошу, отведайте нашей израильской кухни!

Толстозадая Юлька под присмотром Сени сноровисто накрывала на стол. На ней уже была вполне приличная юбка. Видимо, Сеня наотрез отказался считаться с «ее длиной».

— Марат Ильич, я знаю, вы за рулем, вам выпить не предлагаю, но, может, ваша дама чего-нибудь выпьет?

— Да, дайте мне сто грамм водки!

— Вот это по-нашему! Сию минуту, мадам!

Сто грамм! Мне сейчас и пол-литра не помогут! Тем не менее после первой рюмки стало легче.

— Родная моя, расскажи, как ты жила все эти годы. Знаешь, я даже боялся спросить у Вольки, как ты.

Боже мой, какая я умная! Когда и Алевтина и Лерка говорили мне — да он тебя давно забыл, он никогда даже не спросит о тебе, я отвечала: не спрашивает, потому что любит, было бы ему на меня наплевать — непременно спросил бы. А они только поднимали меня на смех и крутили пальцем у виска.

— Ты по-прежнему одна?

— Не знаю, что и сказать. Не далее как вчера я получила предложение руки и сердца.

— И что?

— Я его приняла, — слегка соврала я.

— А если я тоже предложу тебе руку и сердце?

— Позволь, насколько я понимаю, ты женат!

— Вернусь в Москву — тут же подам на развод!

Всю мою любовь как рукой сняло. Идиотка! Развесила уши! Он ведь опять с легкомыслием Хлестакова пытается поломать тебе жизнь. Слава Богу, я хоть вовремя опомнилась.

— Марат, оставь, пожалуйста, эту тему. Нельзя через двадцать лет походя вернуть то, что выбросил в помойку. Неужто ты думаешь, что я такая дура? Да и любовь моя к тебе давным-давно кончилась. Все выгорело, даже угольков не осталось.

— Неправда, я же вижу по твоим глазам.

— И опять неверно все понимаешь. Да, я растрогалась, рассиропилась, воспоминания нахлынули, но это так, временное помрачение рассудка, не более того.

Ага, голубчик, больно тебе? И поделом!

— Прости, Кира, я действительно идиот. Но мне вдруг стало так страшно снова тебя потерять... Мы сможем хоть изредка видеться?

— На какой предмет? Что у нас общего? (Действительно, совсем пустячок — дочка!) У наших отношений было только начало и конец. А середина как-то, знаешь ли, выпала. Нет, благодарю покорно. Я в эти игры больше не играю. Ты не тот партнер!

— Милая моя, в твоих словах столько боли и горечи... что я не верю тебе.

Он схватил мою руку и прижал к губам.

Опять появилась Юлька в сопровождении Семена. Очевидно, он считал своим долгом присутствовать при каждой перемене блюд. Но, ощутив возникшее напряжение, счел за благо удалиться.

Мы молча принялись за еду. Я совсем не чувствовала вкуса, меня била дрожь. Зачем я согласилась на эту встречу? Даже при всем моем оголтелом оптимизме от нее нельзя было ожидать ничего хорошего. Душевный покой утрачен начисто. Я с тоской подумала о Коте. Как с ним хорошо! Весело, спокойно. Здесь же сплошной надрыв! А я так этого не люблю.

В ресторане между тем появились люди. В зале заиграла тихая музыка — советские мелодии семидесятых годов. Одна пара уже танцевала.

— Потанцуем? — вдруг предложил Марат. — Мы же с тобой никогда не танцевали. — Его синие глаза смотрели на меня с мольбой, и я опять не устояла.

— Ладно, потанцуем, хоть и глупо танцевать средь бела дня.

Я встала, он меня обнял.

Только не смотри ему в глаза, твердила я себе, но голова у меня уже пошла кругом, этот запах табака и одеколона... Он крепко прижал меня к себе. Господи помилуй!

— Почему ты так дрожишь? — прошептал он, и у меня подогнулись ноги. — Родная моя, что ты со мной делаешь, — шептал он, уже касаясь моего уха губами. — Я хочу тебя, давай уедем отсюда...

— Куда? — еле слышно выдохнула я.

— Ко мне, я сейчас один, умоляю, поедем!

Стоп, Кира! Этого допустить нельзя! Возьми себя в руки! Но как это трудно, когда от желания земля уходит из-под ног... Подумай, ему шестьдесят три года, если он оконфузится, то может совсем пасть духом, ты умрешь от жалости, и получится черт знает что! От этой мысли мне сразу стало легче.

— Да ладно, Марат, хорошенького понемножку, хватит, пусти меня!

Мы снова сели за столик, он нервно схватился за сигарету.

А у меня в голове продолжала развиваться спасительная мысль. У него уже был инфаркт, он, видимо, давно не занимался любовью, а здесь, в чуждом климате, его вовсе может кондрашка хватить от любовных усилий, и хороший я тогда буду иметь вид! Воображение разыгралось не на шутку, и, пока мой герой приходил в себя, я уже успела не только уморить его, но и объясниться с прилетевшей за телом женой, не говоря уж об израильской полиции и так далее. Одним словом, воображение и чувство юмора и на сей раз меня спасли. Я расхохоталась.

— Чего ты смеешься? Что тут смешного? Я уж думал, что давно ни на что не гожусь, но стоило мне тебя обнять...

— Марат, успокойся, я все равно сегодня не могу.

— А! — протянул он разочарованно, но, кажется, и с некоторым облегчением. Видимо, он тоже опасался конфуза. А это никудышная предпосылка.

«Молодец Кирюха!» — похвалила я себя.

Мы с ним, как боксеры, то и дело входили в клинч, и то Семен, то я сама говорили «брэк»!

Наконец мы оба смертельно устали от этого поединка. Обида, вина и жажда отмщения уступили место сытой послеобеденной расслабленности. Мы сидели, лениво перебрасываясь малозначащими замечаниями.

Семен сам принес кофе. Я отпила глоток и ахнула, сроду не пила кофе вкуснее.

— Сеня, вы просто кудесник.

— Кофе всегда варю сам, для почетных гостей конечно. А не желаете мороженого?

— О нет, нет, — запаниковала я.

— А я хочу, — сказал Марат. — Лимонного.

— Юлька! Одно лимонное! — крикнул Сеня. — Мадам, вероятно, бережет фигуру? Уверяю вас, несколько ложек моего фирменного мороженого ничего не изменят в общей картине.

Примчалась Юлька с вазочкой мороженого удивительной красоты. Не объешься я вчера треклятым «Аладдином», у меня бы сейчас слюнки потекли.

— Кира, попробуй у меня ложечку, это чудо!

— Мадам Кира, попробуйте, мой фирменный рецепт, Баскин Роббинс удавился бы от зависти! — с настойчивостью оскорбленного автора требовал Семен.

Пришлось подчиниться. Марат с нежностью протянул мне свою ложку. Мороженое и впрямь было восхитительным. Семен пристально следил за выражением моего лица. Вероятно, на нем отразился восторг, ибо он опять гаркнул:

— Юлька! Еще порцию лимонного!

Господи, за что?

Юлька подала еще вазочку. А Семен продолжал стоять над душой. Я-то надеялась незаметно отдать мороженое Марату, но не тут-то было! Чтобы не обижать Семена, я как миленькая усидела всю порцию.

— Сеня, должна признать, ничего вкуснее я не ела! — вполне искренне сказала я.

— Благодарю, мадам, — смутился польщенный автор и с довольным видом удалился.

— Правда фантастически вкусно?

— Понимаешь, я вчера объелась мороженым до тошноты. — Я вкратце рассказала историю с «Аладдином», не упомянув, однако, о Жукентии. Предательница чертова!

— Марат Ильич, мадам Кира! — раздался вдруг голос Семена. — Вы по достоинству оценили мое творение, а потому позвольте за счет заведения предложить вам на пробу ассорти! — И он поставил на стол стеклянную вазу, в которой было минимум двадцать шариков мороженого. Пытка мороженым продолжалась! — Это все мои разработки, со здешними фруктами сам Бог велел делать легкое мороженое, но разве наши евреи что-нибудь в нем понимают? Они тоскуют по пломбиру за 48 копеек, им кажется, что это высший шик! А мое мороженое нежирное, не слишком сладкое, оно не испортит фигуру, мадам, не опасайтесь. Или вы думаете, у Юльки такая задница с моего мороженого? Нет, у нее задница от моей сестры, ее мамы. Так что кушайте спокойно и не волнуйтесь за талию.

С мужеством отчаяния я положила себе два шарика, зеленый и шоколадный. Марат, подавляя смех, уписывал мороженое за обе щеки.

— Мадам, тут восемь сортов, а вы взяли только два! Так не годится!

— Семен, помилуйте, я просто не могу!

— Ах, мадам Кира, вы, может, потом всю жизнь будете жалеть, что обидели человека, который от чистого сердца...

— Хорошо, я все съем! — твердо сказала я и бросилась на штурм. Ладно, где наша не пропадала! Зато будет что рассказать о сегодняшнем свидании. Умора — мама каждый день бегает на свиданки и обжирается мороженым. Тут уж не до игры страстей — смех да и только!

— Марат, я сейчас умру! — прошептала я, едва Сеня отошел.

Надо отдать Марату должное, тут он поступил как мужчина — с ловкостью необыкновенной поменял местами вазочки. Теперь я спокойно сидела, а он мужественно доедал мою порцию.

— Надеюсь, ему не придет в голову угостить нас тортом собственного приготовления, — сказала я и чуть не упала в обморок — Семен приближался к нам с какой-то коробкой в руках.

— Мадам Кира, вы живете в Тель-Авиве?

— Да, то есть нет, я гощу здесь.

— Простите за вопрос, у кого?

— У дочки.

— Тогда прошу, сделайте Сене рекламу — пусть ваша дочка и ее знакомые попробуют мое мороженое!

Он поставил коробку на стол.

— Я хорошо упаковал, вы отлично довезете это до дома.

— Но мы еще не едем домой! — заявил Марат.

— Марат Ильич, вы на машине, что вам стоит на минутку заехать к мадам Кире домой? А потом гуляйте себе на здоровье!

— Кира, теперь ты понимаешь, как он мог защитить диссертацию в нашем институте? — прошептал Марат, едва Сеня отошел.

— О да! Знаешь, Марат, давай-ка сматываться.

— Но мороженое придется взять!

— Увы! Впрочем, дети с удовольствием его сожрут.

Марат вскочил и пошел на поиски Семена, чтобы расплатиться. А я тайком расстегнула пояс юбки. Я едва могла дышать. Демьянова уха в Тель-Авиве!

Вскоре вернулся Марат.

— Все в порядке, Кирочка, идем! Он там уже занят с новыми гостями и шлет тебе привет. А меня он заверил в том, что о нашем посещении ни одна живая душа не узнает.

— По собственной инициативе или ты его об этом просил?

— Кира! — оскорбился Марат.

Мы сели в машину.

— Ну что, куда едем? — спросил он. — По-моему, мы просто обязаны отвезти мороженое. Кстати, познакомишь меня с твоей дочкой.

— Это еще зачем? — довольно грубо ответила

я. — К тому же ее наверняка еще нет дома. И вообще...

— И вообще помолчи, — сказал он и обнял меня. — Я двадцать лет мечтал снова тебя поцеловать.

— Не ври, — слабым голосом пробормотала я, но он не дал мне договорить. Он долго и жадно целовал меня, а я отвечала на его поцелуи, как будто не было этих двадцати лет. И вот он уже пытается расстегнуть мне блузку, а я таю от его прикосновений, таю... Таю! Мороженое! Оно же растает!

— Пусти, Марат, мороженое растает!

— Черт с ним! — страстно шепчет он.

— Нет, пусти, хватит, нашел время и место — на стоянке у ресторана средь бела дня!

— Что ты со мной делаешь! Впрочем, ты права, место и впрямь неподходящее. Едем ко мне, а мороженое сунем в холодильник, невелика важность!

— Я уже сказала, что сегодня не могу.

— Слушай, не держи меня за полного идиота, в таком случае ты ни за что не надела бы белую юбку. Уж настолько-то я женщин знаю.

Столь прагматический подход снова охладил мой пыл. И я ощутила поистине смертельную усталость.

— Ради всего святого, отвези меня домой, я что-то спеклась.

Слегка отдышавшись, он вывел машину со стоянки, и мы поехали в сторону Тель-Авива. Я глянула на часы. Без пяти семь. Ни фига себе! Я и не заметила, как время пролетело. Сейчас у меня было только одно желание — лечь и хорошенько все обдумать, еще раз пережить этот день. Интересно, как считать — день триумфа или поражения? Нет, со свойственным мне оптимизмом буду считать это днем триумфа, хотя и с элементами поражения. Такая формулировка вполне приемлема.

— О чем ты задумалась, Кирочка?

— А? Да так, ни о чем, пытаюсь переварить мороженое.

— Кира, поедем завтра в Нетанию купаться?

— Нет, завтра я не могу.

Еще не хватало, так меня опять засосет это болото! Ни за что!

— Кирочка, ты дорогу-то к дому знаешь?

— Только с Алленби.

— Отлично, поедем по Алленби.

И вот мы уже у Дашкиного дома.

— Ну что же, Марат, спасибо, что довез. — И я стала вылезать из машины.

— Кира, когда же мы увидимся?

— А зачем нам видеться? Мы, кажется, уже все выяснили...

— Нет, мы еще не выяснили, может быть, самое главное...

— Мамуля! — К машине подбежала Дашка. — Я думала, ты уже давно дома, я сегодня задержалась! Здравствуйте! — сказала она Марату. — Ну, как вы погуляли? Мама, ты не хочешь нас познакомить?

— Да, Марат, познакомься — это моя дочь, Даша, а это Марат Ильич.

— Даша, Дарья... Какое прелестное имя. А как вас по батюшке? Вы ведь уже замужняя дама?

— Александровна! — ответила Даша.

— Дарья Александровна! Очень приятно с вами познакомиться. Мы тут вам привезли гостинец!

— Мне? Какой?

— Вот, прошу! — Он галантно вручил Дашке коробку с мороженым.

— Что это?

— Мороженое, черт бы его взял! — пояснила я.

— Мама, опять мороженое? Ты опять объелась мороженым?

— Не произносите при мне это слово! Никогда!

— Марат Ильич, пойдемте к нам, — радушно пригласила его Даша, искоса глядя на меня. Я сделала ей большие глаза, но она предпочла этого не заметить. — Я вас познакомлю с мужем.

«Очень ему нужен твой муж», — злобно подумала я. А Марат с явным торжеством запер машину, взял у Дашки из рук сумку, и они, мило болтая, направились к подъезду, а я, ругая себя последними словами, поплелась за ними. Дашка оглянулась и вдруг вскрикнула:

— Мама, юбка!

Ну разумеется, я забыла ее застегнуть! Еще шаг — и я осталась бы посреди улицы в достаточно пикантном неглиже. Это меня добило. Ну и денек! Да делайте вы что хотите, разоблачайте к чертовой матери мои тайны, обретайте друг друга, если вам это надо, сливайтесь в экстазе, только оставьте меня в покое! Я едва не крикнула им все это, но у меня совсем не было сил. Из меня как будто весь воздух выпустили. Марат, похоже, это заметил.

— Дашенька, пожалуй, я в другой раз к вам зайду, а то ваша мама, по-моему, уже с ног валится. А сейчас я лучше поеду. Однако мне очень хочется побывать у вас, познакомиться с вашим мужем. Позовите меня в гости, я пробуду здесь еще дней десять.

— Знаете что, приходите к нам в субботу, у нас с мамой день рождения. Приходите к четырем, будем вас ждать.

— Вы с мамой родились в один и тот же день?

— Да.

— Спасибо. Непременно приду. Кира, ты не возражаешь?

Да возражаю я, возражаю, но у меня уже нет сил сказать об этом. Я только помотала головой. Понимай как хочешь.

— Тогда всего вам доброго, Дашенька. До субботы. Кира, я тебе завтра позвоню.

И он удалился.

Я в своем белом костюме плюхнулась на ступеньку.

— Мам, ты чего? Почему у тебя такое лицо? Ты заболела? Или ты на меня рассердилась? Мамочка, ну скажи! Да не сиди так, скажи хоть что-нибудь, ну обругай меня, мама, мамочка, ну не надо так! Господи, да что же мне с тобой делать! Данька! Даня! — закричала она. — Иди сюда скорей, маме плохо!

— Да ладно, хватит верещать. — Мне стало жалко дочку. — Как-нибудь доплетусь.

Но Данила уже успел спуститься.

— Кира Кирилловна, что с вами? Вы перегрелись?

— Да, и предохранитель полетел.

— Вы уже шутите, значит, все в норме. Но вид у вас, надо сказать, еще тот!

— А что, очень страшная?

— Ну не то чтобы...

— Какой ты милый!

Они под руки довели меня до квартиры. Я как сомнамбула побрела в ванную и глянула на себя в зеркало. Хороша, ничего не скажешь. Увидел бы меня сейчас Котя, всю бы его любовь как ветром сдуло. У меня был такой вид, словно по мне проехал гусеничный трактор. Колесный не нанес бы таких повреждений. Отдохнула, называется! Сейчас принять душ, смыть все с себя и завалиться спать. Со снотворным. Тогда, может быть, завтра я буду уже не такой руиной.

Когда я выползла из ванной, Дашка с кем-то говорила по телефону.

— ...Да нет, не волнуйтесь, думаю, она просто очень устала. Не знаю. Хорошо, сейчас пойду спрошу. Ой, мама, ты уже вышла! Это Викентий Болеславович, ты подойдешь?

— Котя, милый, я безумно хочу вас видеть...

— Я сейчас же приеду!

— Нет, не надо, я совсем выдохлась.

— Что, трудно было?

— Очень!

— Я чуть не умер от ревности.

— Зря!

— Да? Ты возвращаешь меня к жизни! А может, отдохнешь часок и встретимся?

— Нет, Котя, не могу, я едва держусь на ногах. Завтра!

— И завтра ты сможешь посвятить мне целый день?

— Конечно!

— Ну тогда ложись спать, моя девочка. Целую тебя.

— И я.

— Спи спокойно, моя хорошая.

Сколько же тепла в этом голосе, нормального человеческого тепла. Как хорошо!

— Мамуля, чайку не выпьешь с нами? А то я тебя сегодня почти не видела.

— Пожалуй, налей мне чашечку!

Дочка усадила меня, налила крепкого чаю, и мне стало немного легче.

— Да, мороженое! — вспомнила вдруг Дашка. — Надо же его попробовать!

— Нет! — завопила я. — Только не при мне! Ради Бога!

Утром я проснулась вполне бодрой и решила тут же отправиться на пляж, чтобы не вступать ни в какие разговоры с Дашей. Сейчас они еще спят, а когда я вернусь, уже уйдут. Немножко задержусь на пляже.

Я влезла в воду и поплыла к волнорезу. Больше всего на свете я люблю воду, море. Наверное, в прошлой жизни я была рыбой или каракатицей. И какое же блаженство купаться здесь! Народу — ни души, в этот час и в это время года тельавивцы не купаются. Поэтому, несмотря на отсутствие кабинок, можно спокойно переодеться. И вообще я люблю купаться одна. Доплыв до волнореза, я повернула обратно. Сглазила, ну конечно! Какой-то мужик плывет мне навстречу. Плевать, места в море хватит. Ба! Да это же Жукентий!

— Котя! — заорала я и чуть не захлебнулась. Он уже подплывал ко мне. — Котя, милый, как вы меня нашли?

— Это несложно! Плывем к берегу?

И вот мы плывем рядом.

— А ты молодец, хорошо плаваешь!

Он первым коснулся дна. Вода была ему по шею.

— Иди скорей ко мне!

Как замечательно, оказывается, целоваться и обниматься в море. Жар тела неощутим и так легко перейти любой рубеж!

— Я тебя похищаю, — заявил он, оторвавшись наконец от моих губ. — Едем ко мне завтракать.

— Завтракать? Я не хочу завтракать!

— А чего же ты хочешь?

— Хочу вот так стоять в воде и целоваться! Как

жалко, что сейчас не ночь. Ну что же ты, поцелуй меня еще!

— Дорогая, если хочешь предаваться любви в воде, то следует надевать раздельный купальник! Так что едем-ка скорее ко мне. Обещаю целовать тебя весь день напролет, а если тебе непременно нужна вода, можно все это делать под душем, ванны у меня, увы, нет. Идем, русалка!

Ну конечно же русалка! Никакая я не рыба и не каракатица, а именно русалка. Мужчина, способный убедить женщину в том, что она не каракатица, а русалка, безусловно достоин любви!

Мы наскоро оделись и бегом побежали к набережной. Туфли мои были полны песка, но какое это имело значение!

— Далеко?

— Нет, но все равно возьмем такси!

Через десять минут он дрожащими руками отпирал дверь квартиры.

Котя оказался изумительным любовником — умелым, нежным, внимательным. С самого начала не пришлось преодолевать никаких барьеров, удивительное ощущение близости и родства продолжилось и в постели, а в сочетании с новизной это было поистине великолепно.

Мы лежали на широченном квадратном матраце, заменявшем хозяину квартиры кровать.

— А можно, я буду звать тебя Кузей?

Я прыснула.

— Почему Кузей?

— Потому что кроме чеширского кота ты мне напоминаешь кошку моей дочери Кузю.

— Кузя вовсе не кошкинское имя, а котовое!

— Обычная история — взяли котенка, назвали Кузьмой, а он оказался кошкой Кузей.

— Котя и Кузя — это почти Ося и Киса!

Мы расхохотались.

— Котя, мне стыдно признаться, но я смертельно хочу есть. У меня со вчерашнего обеда, будь он неладен, маковой росинки во рту не было!

— Кузя, я как порядочный пожилой человек пригласил тебя на завтрак, а ты меня совратила, так что пеняй на себя!

— Для пожилого ты, пожалуй, слишком прыток! Но умоляю — подкрепите меня яблоками...

— Может, тебя еще и вином освежить?

— Освежить, освежить!

— Ты не находишь, что для Суламифи ты несколько...

— Ты хочешь сказать — старовата? Ну ты тоже не очень тянешь на Соломона, но, поскольку мы предавались любви на земле Израиля, я все равно чувствую себя Суламифью, причем вспыхнувшей!

— В таком случае я уж безусловно Соломон, и, разумеется, ахнувший.

— Тогда никакие мы не Кузя с Котей, а Суля с Моней! Моня, если ты меня немедленно не покормишь, я сейчас просто дам дуба!

— Ну и выражение для Суламифи!

— Ну и скаредность для Соломона!

— Тогда вставай и пошли на кухню.

— А я вот все думаю, как отсюда встать, очень уж низко.

— Грациозно не получится! Встань на карачки, будет удобнее.

— Тогда выйди!

— И не подумаю!

— В таком случае изволь подать мне завтрак в постель!

— Замечательная идея! Сию минуту, мадам!

Он действительно не слишком изящно поднялся с матраца. И чтоб я при нем так вставала? Да ни за что! Едва он, натянув трусы, вышел на кухню, я кубарем скатилась с ложа любви и кое-как встала на ноги. Набросив сарафан, я босиком пошлепала сначала в душ, а потом на кухню.

— Ах ты хитрюга! Прогнала меня, чтобы незаметно встать!

— Котенька, я не могу больше, очень кушать хочется!

— Бедняжка моя! Садись, сейчас я буду тебя кормить. Вот тебе йогурт, хлеб, фрукты, ешь, а я пока приготовлю потрясающую рыбу.

— Рыбу? Ее еще надо чистить?

— Боже упаси! Я ее почистил заранее, осталось только бросить на сковороду!

Я ела йогурт с хлебом, а он стоял у плиты и жарил рыбу.

— Котя, знаешь что...

— Знаю. Мне тоже.

— Что? — оторопела я.

— Ну, ты ведь хотела сказать, что тебе еще никогда в жизни не было так хорошо, должен признаться, что мне тоже. Никогда. Но пока, прошу тебя, помолчи. Дай спокойно дожарить рыбу, потому что, если я отвлекусь, рыба сгорит.

— А я подавлюсь,— с полным ртом сказала я.

Наконец он поставил на стол тарелку с рыбой, достал из холодильника салат из помидоров и бутылку белого вина.

— Ешь, моя хорошая.

Он сел напротив меня и разлил вино.

— Давай выпьем за нас!

— За нас!

Когда мы наелись, он убрал тарелки, аккуратно их вымыл, вытер стол и снова сел.

— Ну, ты поняла уже, что мы созданы друг для друга?

— Кажется, да.

— У меня еще ни с кем не было так — я начинаю фразу, а ты ее заканчиваешь. Ты открываешь рот, а я уже точно знаю, что ты скажешь. А у тебя?

— Только с Алевтиной.

— Кто это?

— Моя подруга.

— Подруга не в счет. А с мужчиной?

— Нет, никогда.

— А с... ним?

— Нет, что ты! А у тебя с твоей женой?

— Нет.

Взгляд мой упал на кухонные часы. Уже пять! Я ушла из дому ни свет ни заря. Через час вернется Дашка и, не обнаружив ни меня, ни моего купальника на веревочке, еще, чего доброго, решит, что я утонула.

— Котя, мне пора!

— Куда?

— Домой, у меня там, между прочим, дочка!

— Что, если я пойду с тобой, мне как-то грустно оставаться одному.

— Конечно, пойдем!

Тут я вспомнила про злосчастный день рождения, на который Дашка уже пригласила Марата. Не могу же я не пригласить Котю! Но что это будет?

— Котя, что ты делаешь в субботу?

— Надеюсь, то же, что и сегодня.

— Вот уж дудки! В субботу у нас с Дарьей день рождения.

— Ты меня приглашаешь?

— Само собой, вот только...

— Есть какие-то «но»?

— Понимаешь, Дашка пригласила Марата.

— Зачем?

— Похоже, она догадалась.

— И тебе теперь боязно, ты не знаешь, как все это будет?

— Да, Котенька.

— Не бойся, моя хорошая, я буду с тобой, а этот

дурак пусть кусает себе локти, все равно ничего другого ему не остается. А что ты делаешь завтра? Не хочешь поехать со мной в Реховот?

— В Реховот? К твоей сестре?

— Ну да. Мне неохота ехать, мы с ней хоть и любим друг друга, но все время ругаемся. Она вчера звонила, просила прощения, уговаривала приехать. Но с тобой поеду с удовольствием.

— А на чем туда едут?

— На автобусе от таханы мерказит[1]. Кстати, ты там уже была?

— Да, на пасхальной ярмарке, купила себе дивную кошку, глиняную, с синими глазами. У меня дома целая коллекция кошек.

— И Жукентий?

— И Жукентий!

— Кстати, я давно хочу спросить — кроме Жукентия, у тебя кто-нибудь есть?

— В каком смысле?

— В мужском.

— А... Да, есть.

— Ты его любишь?

— Нет, — без секунды колебаний ответила я.

— Придется дать ему от ворот поворот, я очень ревнивый!

— Не рано ли ты распоряжаешься моей жизнью?

---

[1] Автобусная станция (ивр.). В Тель-Авиве это целый город, с магазинами, лавчонками, киосками, кафе.

— Ничуть. Вот вчера было бы еще рано, а сегодня — в самый раз.

— Ты считаешь, что это дает тебе основания...

— Тихо, тихо, не кипятись, я же ничего не требую, носки свои держу при себе, до поры до времени согласен быть приходящим любовником и терпеливо ждать, когда ты меня призовешь.

Когда мы явились, Дашка и Данила уже были дома.

— Мама, куда ты подевалась? Здравствуйте, Викентий Болеславович! Та-ак, суду все ясно! — хмыкнула она, едва взглянув на нас. — Вас можно поздравить?

— Дарья!

— Да, Дашенька, можете поздравить, меня во всяком случае.

Ну и наглец!

— И еще, Даша, я хотел бы вас просить называть меня как-нибудь проще, чем Викентий Болеславович.

— Что ж мне, Котей вас звать, как мама? Нет, это мне не нравится. Лучше Кент, вы не против?

— Кент? Отлично! Кентом меня никто и никогда еще не звал. Звучит очень современно, ты не находишь, Кузя?

— Кузя? Мама, ты теперь Кузя? А вообще здорово, тебе идет. Ну и темпы у вас, сэр!

Я видела, что Даню эта болтовня коробит.

— Ладно, хватит трепаться. Дашка, мы с Викен-

тием Болеславовичем хотим завтра поехать в Реховот. Ты не возражаешь?

— А у меня разве есть право голоса?

— Ну разумеется, Дашенька, — поспешил ее
успокоить Котя. — Но ведь вы завтра работаете, а
к вечеру обещаю вернуть вам вашу маму в целости и
сохранности.

— Ну, так уж и быть, — великодушно согласилась Дарья.

— Во сколько мы завтра едем? — спросила я.

— Чем раньше, тем лучше.

— А в Реховоте есть море?

— Чего нет, того нет!

— Тогда я с утра искупаюсь, ладно? Я раненько
сбегаю на пляж, и часов в десять можем выехать.

— Ладно, купайся, а в десять я за тобой сюда
зайду, успеешь? Есть автобус в половине одиннадцатого...

Он задумался, и я точно знала о чем: о том, что
если завтра он зайдет за мною сюда, а я буду уже
одна, мы можем никуда и не уехать.

— Нет, знаешь ли, давай лучше встретимся на
тахане.

— А я там заблужусь, на этой тахане сам черт
ногу сломит.

— Хорошо, в таком случае ровно в десять на
вашем углу.

— На котором?

— Боже, какая бестолковая женщина! На углу,
где продают орехи.

— Прекрасно, договорились!

Потом мы сидели вчетвером, пили чай, болтали, и я видела, как ловко Котя вовлекает в разговор Даню, которого немного смущала эта ситуация. Через полчаса от неприязненной настороженности не осталось и следа. Он помимо прочих достоинств еще и чертовски обаятелен, этот Котя. Мои детки уже почти влюблены в него. Он им что-то рассказывает, они смотрят ему в рот, а я впервые за этот день могу наконец побыть немного наедине с собой, хотя Котя время от времени смотрит на меня с нежной улыбкой.

Мне хорошо, мне фантастически хорошо. Хорошо моей душе, моему телу. Первый раз в жизни я чувствую себя как за каменной стеной. Это ощущение настолько непривычно, что я сама стараюсь отодвинуть его. Я не знаю, каково это. Только в юности, с родителями, я знала это чувство защищенности, да и то пока они не состарились — я была у них поздним ребенком. Всю взрослую жизнь до сегодняшнего дня я прожила на юру, открытая всем ветрам. И хотя благодаря друзьям я не очень остро ощущала свое одиночество, вот это чувство каменной стены было мне абсолютно внове. Приятное чувство, ничего не скажешь, но расслабляющее. А я по опыту знаю — стоит мне расслабиться, как я тут же получаю удар поддых. Тем более что знакома с Котей всего ничего, мало ли какие сюрпризы он еще может мне преподнести. Короче, надо все-таки держать дистанцию и не принимать скоропалительных решений. Буду просто наслаждаться моментом. Мне было хорошо с ним сегодня? О да. Да! Я влюблена в него? Конечно! Но... Чего-то в моем чувстве к нему не хватает, чтобы оно полностью завладело мною... Чего-то такого, что я так болезненно остро ощущала вчера в объятиях Марата. Это как букет — смотришь, вроде красиво, а чего-то недостает. А потом добавишь веточку зелени — и он уже почти совершенен. В моем чувстве к Коте недоставало этой веточки, а с Маратом, кажется, только веточка и была, без букета... Ну конечно же жалость! Мне не хватало жалости к Коте, а Марата я жалела, жалела душой и телом, да и любовь моя к нему началась с жалости — когда он так растерялся... Помню, лет десять назад за мной ухаживал один преуспевающий театральный художник, умный, красивый, талантливый, он был влюблен в меня без памяти, казалось бы, чего еще, но нет, я никак не могла ответить ему, хотя он мне нравился. Лерка тогда сказала мне: «Ну все понятно, если бы он сейчас сломал ногу, ты бы уже умирала от любви, тебе же, дуре, надо обязательно пожалеть мужика! А чего их жалеть? Нас бы кто пожалел!» Это верно, любовь без жалости у меня не получается, а Котю жалеть вроде не за что. Кстати, интересно, Марат не звонил? И зачем мне, спрашивается, Марат?

— Мама, о чем ты так глубоко задумалась?

— А? Что? Да так, ни о чем.

Котя пристально посмотрел мне в глаза и, кажется, прочел все мои мысли, потому что он вдруг нахмурился и встал.

— Ну что же, пора и честь знать! Спасибо, Дашенька, за чай. У вас чудный уютный дом. Похоже, это мамина школа?

— Да! Нам тоже было очень приятно!

Ровно в десять утра мы встретились на углу.

— С добрым утром, моя хорошая! Как тебе спалось?

— Отлично, спала как убитый сурок!

— Это еще что такое?

— Так выражается один мой дружок-художник. Он обожает такие фразочки. Например: «Молчит как рыба об лед».

— А что, недурно!

— А как ты спал?

— Неважно, признаться. Меня немного встревожила твоя вчерашняя задумчивость. Ты словно проводила какой-то сравнительный анализ, и я боялся, что результат будет не в мою пользу. Вот и проворочался полночи с боку на бок.

Кажется, в самой глубине души шевельнулся крохотный червячок жалости. И удивление — каким же он бывает разным, этот Котя. Одно можно сказать с уверенностью — с ним не соскучишься!

Мы сели в автобус. Народу было мало, и Котя обнял меня. Я прильнула к нему, положила голову ему на плечо. Это было приятно.

— Я очень хочу познакомить тебя с сестрой.

— Расскажи мне про нее, какая она.

— Непредсказуемая! С очень скверным характером, но чрезвычайно добрая. Она прожила тяжелую жизнь, рано лишилась мужа, его арестовали, и он погиб в лагерях, она одна растила двух сыновей, помешана на них, особенно на младшем, Матвее, но не дает ему жить, во все вмешивается, расстроила уже два его брака. Несчастный парень, да какой там парень, ему уже за сорок. Из Реховота он сбежал, а сейчас хочет сбежать еще дальше, в Америку. Он первоклассный настройщик. Странное дело, она готова помочь всем и каждому, но собственного сына просто гробит. Старший, Лазарь, умеет за себя постоять, а Матвей — нет. Я приезжаю к ней уже пятый раз, но ссоримся мы беспрерывно, и она же первая от этого страдает. Когда она начинает кричать, я просто ухожу, а потом возвращаюсь как ни в чем не бывало. Но это тоже надоедает.

— А они давно уехали?

— Да, очень давно, лет двадцать уже! У нее свой дом, очень славный, деньги есть, она получила кое-какое наследство, Лазарь — врач, прекрасно зарабатывает, помогает матери, Матвей тоже, но жить с ней невозможно. Если ты ей понравишься, она много интересного может рассказать.

— А если не понравлюсь?

— Такого быть не может!

Вера Болеславовна оказалась высокой статной женщиной, назвать ее старухой язык не поворачивался. Красивое лицо с большими черными глазами и трагически опущенными уголками рта.

— Вика! Наконец-то! Кто это с тобой?

— Познакомься, Верочка, это Кира, чудесная художница и моя близкая подруга.

— Добро пожаловать, заходите!

Дом, очень симпатичный снаружи, внутри оказался, просто очаровательным. Обставлен он был с большим вкусом, а на каменных полах лежали поразительной красоты ковры.

— Что это? Я никогда ничего подобного не видела! Это израильские ковры? Какие красивые!

— Вера сама их делает, у нее собственная технология.

— Но это же произведения искусства!

Я плюхнулась на коленки и принялась разглядывать и щупать удивительный ковер.

— С ума сойти, тут и нитки, и тряпки, и кожа, и солома! Вера Болеславовна, да вы настоящая искусница, а Котя мне ничего не говорил!

— Котя! А что он вообще может сказать обо мне — что я вздорная женщина, никому не даю жить, что у меня кошмарный характер, да? Признайтесь, он это говорил?

— Нет, что вы...

— Да ладно, деточка, я уже не обижаюсь, он во многом прав, мой братец. Кстати, за всю жизнь впервые слышу, чтобы кто-то называл его Котей, кроме нашей мамы. А вы, прошу вас, зовите меня просто Верой, без отчества.

Котя подошел, помог мне встать.

— Викеша, Кира, хотите кофе?

— Да! — хором ответили мы.

— Как хорошо! Я давно уже никого не поила кофе, но Вика обещал приехать, и я на всякий случай испекла пирог. Если бы вы не приехали, я отдала бы этот пирог соседям. У них куча детей, и они всякому куску рады.

— А может, мы лучше пойдем на кухню? Стоит ли таскать все сюда?

— Сюда? Нет, можно, конечно, и на кухню, у меня там все чисто, но я думала, лучше будет в саду.

— В саду? Конечно, в саду! Только позвольте мне вам помочь!

— Спасибо, деточка, но я и сама еще в силах напоить и накормить своего брата и его даму сердца, а вернее, даже невесту.

— Невесту? С чего вы взяли?

— Думаете, я слепая?

— Нет, Верушка, ты не слепая и все правильно понимаешь, вот только эта женщина не желает выходить за меня замуж!

— И права!

— Это почему же? — заинтересовался Котя.

— Если вспомнить, на ком ты женился... Эта женщина совсем другая, не чета той швали...

— Вера, я попросил бы!

— Да ладно, ладно, молчу. Вы посидите тут, я все приготовлю и позову вас!

Мы остались вдвоем, и впервые за все время знакомства между нами возникла какая-то неловкость.

— Кира, я тебя предупреждал... Но ты ей явно понравилась.

— Она мне тоже. Она только чудовищно одинокая. И очень красивая. Мне хотелось бы нарисовать ее портрет.

— Видела бы ты ее в молодости! Но странное дело, несмотря на красоту, она не нравилась мужчинам, чего-то ей недоставало или, наоборот, чего-то было слишком много.

Мы замолчали. Вскоре Вера позвала нас.

Мы вышли из дома, и я ахнула — небольшой сад весь в весеннем цвету, но при этом совершенно экзотический, незнакомый, и под каким-то розовым деревом был накрыт стол, по-подмосковному уютный, с обычной клетчатой скатеркой. Почему-то от этого зрелища запершило в горле.

Мы сидели за столом, пили кофе, и Вера расспрашивала меня о Москве.

— А разве вы не смотрите наше телевидение? — удивилась я.

— Смотрю, — горестно проговорила она, — но я, деточка, никому не верю. Им не верю. Они всю жизнь что-то мне обещали, а что я видела там, кроме горя!

— Верушка, ты уже двадцать лет живешь здесь, и тебе, по-моему, не так уж плохо.

— Что ты знаешь про мою жизнь! Да, кстати, посмотри потом розетку на втором этаже в ванной, я что-то боюсь ею пользоваться. Да не спеши, допей кофе!

— Я уже допил! — Похоже, Коте хотелось убраться подальше.

— А ты и в электричестве разбираешься? — спросила я.

— Прекрасно. Еще одно очко в мою пользу!

— Это уж точно. А то у меня хозяйство совсем бабье — вечно что-то течет и не работает.

— Посмотрим, починим! Ну ладно, Кузенька, я пошел, а вы тут поболтайте по-женски. — И он слинял.

— Кира, вы правда собираетесь за него замуж?

— Да я сама не знаю, все так скоропалительно...

— А вы давно знакомы?

— Неделю.

— Но Вика здорово в вас влюблен, я вижу. А вы? Вы влюблены в него?

— Да, но пока что я вижу в нем одни достоинства, а чтобы выйти замуж, надо иметь хоть какое-то представление о его недостатках, тем более что я никогда не была замужем.

— Почему? Вы ведь такая привлекательная женщина, мне кажется, вы уютная, домашняя, просто созданы быть женой и матерью, — она вдруг заговорила даже со страстью.

— У меня есть дочка, но я вырастила ее одна. Теперь она сама уже замужем и живет в Тель-Авиве.

— А что же случилось с ее отцом? Простите, что я так спрашиваю, но ведь мы, может статься, будем родственниками.

— Поматросил и бросил, пожалуй, это самое верное определение. — Мне не хотелось снова углубляться в эту тему. — Теперь вот Котя зовет меня замуж, а я в растерянности. Я же старая холостячка, привыкла жить одна, без мужика. У меня вообще странно жизнь сложилась — я по сути своей клуша, если б вовремя вышла замуж, была бы хорошей женой, хозяйкой, матерью... Ну, мать я, может, и неплохая, но иногда мне кажется, что я прожила не свою жизнь...

— Я понимаю, что вы хотите сказать — вы созданы были женой и матерью, а прожили жизнь любовницей, да?

— Да.

— Но может, это лучше? Вас много любили, вам не приходилось никого обманывать, вы могли послать кого угодно к черту, любовник не муж, да? Вы прожили жизнь свободной и так хорошо сохранились. Сколько вам лет, Кира?

— В субботу стукнет сорок семь.

— О, вы еще молодая... А вам правда понравились мои ковры?

— Очень! Поверьте мне! Я никогда раньше таких не видела.

— Хотите, подарю вам один?

— Да, но мне как-то неловко...

— Какая неловкость, о чем вы говорите! Пойдемте в мою мастерскую, и вы сами выберете, тем более у вас послезавтра день рождения.

— Вера Болеславовна...

— Я же просила!

— Хорошо, Вера, приезжайте к нам на день рождения.

— К вам?

— Ну да, моя дочка родилась со мной в один день.

— Спасибо, деточка, но такие люди, как я, могут только испортить праздник. Особенно Вике. Да и как в субботу добираться? Машины у меня нет... Короче, для всех будет лучше, если я останусь дома.

Мне было страшно жалко эту женщину, но я не стала настаивать.

— Вот, Кира, выбирайте!

Стены в мастерской были сплошь завешаны удивительными коврами. У меня глаза разбежались. Какая красота!

— Кира, а вот здесь еще!

В углу комнаты стоял станок, а рядом были сложены стопкой ковры.

— Давайте расстелем их, чтобы вы могли видеть!

Ковры были большие и маленькие, пестрые, яркие и скромные. Я сразу приметила один небольшой коврик, суровый, но с ярким всплеском в нижнем правом углу.

— Можно вот этот, Вера?

Она рассмеялась.

— Конечно, можно!

— А почему вы смеетесь?

— Потому что это мой любимый, и я загадала —

если вы его выберете, то выйдете замуж за Вику и все у вас будет хорошо. Это судьба!

— Вы продаете эти ковры? — поспешила я сменить тему.

— Нет, раньше продавала, давно, очень давно, а теперь только дарю.

— Почему?

— Это долгая история... а впрочем, Вика там что-то завозился... Ладно, я вам расскажу, но предупреждаю, история невеселая. Вы не застали того ужаса, даже Вика мало что помнит... А я, я с шестнадцати лет каждую ночь ждала, что за мной придут. И росла с этим страхом — еще бы, сколько людей исчезало, — и замуж вышла, и детей рожала, и все боялась. И они пришли, не за мной, за мужем... Слава Богу, детей не тронули... Но это, так сказать, экспозиция, чтобы вы поняли, в какое время все происходило. В шестнадцать лет я пережила и узнала такое, чего врагу не пожелаешь, хотя в этой истории я была только сбоку припека, но я знала, и за это меня могли стереть в порошок. После войны я жила одна, отец погиб на фронте, мама с Викой были в эвакуации на Урале, Вика болел, и мама не могла везти его в Москву, а я рвалась, не сиделось мне там, и вот, всеми правдами и неправдами, мне удалось вернуться домой. Мы жили в коммунальной квартире. Вы хоть представляете, что такое большая коммунальная квартира?

— Да, я до десяти лет жила именно в такой квартире.

— Тогда вам легче будет меня понять. Ну, вернулась я в Москву, туда-сюда, холодно, голодно, но зато я дома! Народ в коммуналке разный, всякой твари по паре, а в комнате рядом со мной жила старуха корректорша, Ольга Евгеньевна, добрая душа, одинокая, затюканная соседями, жизнью. Мы с нею жили душа в душу. И она же устроила меня работать в газету курьершей. Деньги маленькие, но все же. Комната моя была ближайшей к входной двери. И вот как-то раз слышу — дверь эта среди ночи тихонечко открывается, а я часто тогда по ночам от голода просыпалась. Раз услыхала, другой, третий. Потом стала замечать, что Ольга Евгеньевна по ночам в кухне засиживается. И вот однажды идем мы с нею на работу, я возьми и спроси, не слыхала ли она, как ночью дверь открывается. Смотрю, моя Ольга Евгеньевна бледнеет, за сердце хватается. Я поскорей усадила ее на лавочку — мы как раз по бульвару шли — а она вдруг взмолилась:

«Верочка, детонька, Христом-Богом молю, забудь, ничего ты не слыхала, ничего ты не знаешь, верь мне, ничего плохого я не делаю. Только ты ни одной живой душе про это не говори, а то человека погубить можно».

Я сама в слезы.

«Ольга Евгеньевна, клянусь, никому ни словечка, только скажите, что это, а то мне страшно очень по ночам одной!»

«Деточка, если молчать будешь, ничего страшного не случится, обещаю тебе!»

«Да что ж, говорю, это такое, Ольга Евгеньевна, честное слово, никому не скажу!»

Посмотрела она мне в глаза и говорит:

«Ладно, я знаю, ты девочка из хорошей семьи, родители твои благородные люди были, верю, не предашь ты меня! Понимаешь, сестра моя, Анна Евгеньевна, сослана была из Ленинграда в Сибирь, и совсем ей в той ссылке худо пришлось. Но в один прекрасный день она оттуда сбежала и буквально чудом ко мне в Москву пробралась. Сама понимаешь, жить ей открыто в Москве нельзя, да что там в Москве, почитай что и вообще нигде жить нельзя!»

«Так она у вас живет?»

«Да, уже почти два года».

«И никто в квартире не знает?»

«Да пока Бог миловал!»

«Но как же она живет, что никто ее не видел?»

«Целый день по городу бродит, в метро греется или еще где, домой приходит ночью, а уходит еще затемно, когда все спят. Но хоть спит в тепле и раз в день поест горячего, я же часто ночью с работы возвращаюсь, никто не удивляется, если поздно на кухне вожусь».

«Господи, ужас какой! И что же, ей и податься больше некуда? Ведь в Москве так опасно!»

«Да в Москве-то как раз не так опасно, народу уж больно много, теперь из эвакуации и с фронта люди вернулись, шум, суета, а в суете затеряться легче. У меня на всем свете, кроме Аннушки, никого не осталось. Верушка, детонька, обещай мне, что

никому не скажешь. Ты про это просто забудь. Так
оно лучше. Ты знать ничего не знаешь. Если, не
приведи Господь, нас поймают, ты хоть ни при чем
будешь, не хочу лишнего греха на душу брать».

И я молчала, но не только. Я стала помогать этим
несчастным женщинам. Теперь, когда я дома бывала,
Анна Евгеньевна иногда могла денек дома отлежать-
ся, мы ей ведерко ставили. Между нашими комната-
ми дверь была заколоченная, так я ее потихоньку
открыла, когда в квартире никого не было, могла
зайти к ней, принести что-то, унести. Такой конспи-
раторшей стала, что хоть в подполье! Вот она-то меня
и научила эти ковры делать, без станка, конечно, на
руках. На чердаке старые сундуки с разным тряпьем
стояли. Все стоящее соседи давно выгребли, а я
натаскала к себе всякого хлама, и мы с нею молча
коврики делать стали, я их на толкучке продавала,
все какой-то приработок. Так мы и жили два года.
А потом я замуж вышла, к мужу переехала.

— А что же дальше?

— А что дальше? Да все у них благополучно
кончилось. Как Сталин умер, начали люди возвращаться. Анна Евгеньевна из Москвы куда-то уехала,
а потом вернулась в открытую, я уж подробностей не
помню, кажется, нашелся у нее какой-то высокий
покровитель, выбил ей московскую прописку, и жила
она вместе с сестрой на законном основании. Но ты
представь себе, Кира, целыми днями таскаться по
городу, всего бояться, всех бояться, вдруг кто-то
знакомый не дай Бог встретится или под проверку

документов попадешь. Холод, дождь, все равно затемно выходи из дому, даже раньше дворников. Один раз было, пришли с проверкой документов, уж не помню почему. А Анна Евгеньевна как раз дома осталась, больная была. Мы с Ольгой Евгеньевной на кухне возились, когда они вошли. У меня сердце в пятки, а Ольга мне глазами знак делает — зови, мол, к себе. Моя комната ближе всего, я говорю — заходите, показываю им документы. Они глянули и дальше, и вот пока они три шага к следующей двери сделали, я Анну Евгеньевну к себе втащить успела, она уж наготове стояла. Знаешь, когда мужа моего посадили, я с двумя ребятами мал мала меньше одна осталась, так веришь — иной раз думаю: а ведь ей-то, Анне Евгеньевне, еще хуже моего было. И чем только человек не утешается, — горько усмехнулась она. — Э, да ты у меня совсем закисла!

— Нет, я много чего слышала и читала об этом времени, но это так страшно...

— Да, на вашу долю, слава тебе Господи, такого уж не досталось...

— Эй, дамы, вы где? — раздался голос Коти. — Я все починил, еще задания будут?

— Видишь, Кира, нет чтобы посидеть с сестрой, поговорить по-человечески, он предпочитает бродить по дому с молотком...

— Но это же хорошо, без мужчины дом разваливается.

— Честно сказать, Кира, кроме электричества и водопровода, я все сама могу, да и сыновья у меня не безрукие, а вот если ты все же отважишься выйти за этого трепача, то хозяйство у тебя будет в порядке, только смотри не избалуй его.

— Ни за что не буду его баловать, пусть лучше он меня балует.

— Вот это мудрые речи! Значит, ты уже согласилась?

— Ничего подобного!

— А как же насчет баловства?

— А ты меня так балуй, без брака!

— Ишь какая хитренькая!

— Ну, я вижу, вы два сапога пара! Спелись уже!

— А что, сестричка, понравилась тебе моя невеста?

— Сама удивляюсь, чтобы человек с таким ужасным вкусом нашел себе приличную женщину. Кира, ты и вообразить себе не можешь, на ком этот человек женился! Три брака, и все мимо!

Так, начинаются сюрпризы! Мне он сказал, что просто вдовец, ну я и не задавала вопросов, боясь бередить раны. Интересно, какие там еще скелетики приготовлены?

— О, сейчас мне начнут перемывать косточки, я лучше забегу навестить Коганов, а то в этот приезд я их еще не видел.

— Бежишь и бросаешь невесту?

— Я на полчасика, а ты тут пока посвяти Киру в подробности моей семейной жизни.

И он исчез. Из каменной стены выпало несколько кирпичиков.

— Кира, ничего, что я тебе «ты» говорю?

— Да ради Бога, я очень рада.

— Он тебе не говорил, что был женат три раза?

— Нет, мне он сказал, что давно овдовел.

— Что правда, то правда! Но две его первые супруги, кажется, живехоньки. Кира, поверь, они были все разные, но одна хуже другой. Первую он привел, когда ему было 19 лет. Наша мама чуть с ума не сошла от горя — девчонке 18, хорошенькая как кукла, но дура непроходимая, по-моему, она была просто умственно отсталой, мы с мамой боялись при ней слово лишнее сказать, но, правда, это недолго длилось, года два, и они разбежались, слава Богу, детей хоть не родили. Потом он взялся за ум, окончил институт, победил на конкурсе, начал работать и года через два привел еще одну б... Поначалу все вроде было ничего, любовь... но любви этой хватило ненадолго, скоро все пошло враскосяк. Вика парень был веселый, жизнерадостный, все ему легко давалось, друзей полон дом, но денег, конечно, было мало, она непрерывно злилась, всем завидовала, ныла, он, сама понимаешь, погуливать начал от ее нытья, ну и она в долгу не осталась, а потом и вовсе его бросила, выскочила замуж за одного писателя, он в те годы очень был известный, все про стройки коммунизма писал, и богатый был, конечно, а теперь никто о нем и не помнит. А потом Вика встретил Лялю. Ну, это вообще было какое-то недоразумение, а не женщина. Правда, Наденьку ему родила, но другого толку от нее... Ничего она не умела, все у нее из рук валилось, такая бестолочь, прости Господи. Но зато увлекалась всякой чепухой — хиромантией, черной магией, спиритизмом, буддизмом, — и все в кучу, клочок оттуда, клочок отсюда... Противно вспоминать. Вика к тому времени начал прилично зарабатывать, имя у него появилось, за границу стал ездить, квартиру хорошую получил, так ты бы видела, во что она ее превратила! В одной комнате кумирню какую-то устроила, совсем в буддизм ударилась, скупала всякую восточную дребедень. Вика прибегал ко мне, мы тогда уже уезжать собирались, и жаловался: не могу этот кошмар видеть, она еще благовония курит, я задыхаюсь! Не могу там жить! Потом она с каким-то буддистом спуталась. Вика их застал, когда Наденька дома была. Тут уж его терпение лопнуло, он забрал Наденьку и ушел к маме, а этой буддистке-блядистке оставил квартиру. Но ей это на пользу не пошло, год она прожила одна, а как денежки кончились, так и буддисты все сгинули, а она вовсе спятила и скоро померла. Так что сама видишь, какой он мастер жениться, наш Вика. Человек-то он золотой, но... Вот я на тебя смотрю и думаю — то ли я на старости лет сдурела, то ли Вика поумнел...

И мы расхохотались.

— Знаешь что, Кира, выходи-ка ты за него, пусть хоть под старость поживет как человек. Ты первая его женщина, с которой я могу нормально разговаривать.

Тут вернулся Котя.

— Ну как, дамы, нашли общий язык?

— Викеша, вот этот ковер я подарила Кире.

— Но...

— Она сама выбрала! А я загадала — если она выберет именно его, то выйдет за тебя замуж!

— Видишь, Кузя, это судьба!

— Кира, только не вздумай напоминать мне про князя Андрея. Тут совсем другое дело — я лицо нейтральное!

Я немного опасалась идти сюда, но мне было хорошо здесь, с этими людьми. А может, это просто полоса такая и мне везде и со всеми хорошо? Нет, с Маратом мне хорошо не было... Ох, опять Марат в голову лезет, неужто я никогда не избавлюсь от этого наваждения...

— Вера, Котя, мне пора возвращаться!

— А что случилось? — насторожилась Вера.

— Ничего не случилось, просто я веду себя по отношению к дочке как последняя свинья. Мы с нею всегда заблаговременно обсуждаем, чем кормить гостей, что купить...

— Но это здесь не проблема, — вставил Котя.

— Мне так хорошо тут, с вами, но чувство долга зовет меня в Тель-Авив.

— Наше чувство долга! — пропел Котя, и, надо сказать, вполне музыкально.

— Верочка, а может, все-таки приедете?

У Коти сделалось испуганное лицо.

— Нет, Кира, не приеду, уж не обессудь. А ты

приезжай еще, на подольше. Мне с тобой приятно было.

— Тогда, может, Котя меня проводит на автобус, а сам останется?

— Кирочка, это уже провокация, мы и так-то с ним вечно цапаемся, а если я его оторву от такой женщины, он мне этого долго не простит. Ладно уж, езжайте с Богом! Обрати внимание, Викеша, мы с тобой первый раз не поссорились. Это о чем-то говорит.

— О чем, интересно? — не без язвительности спросил Котя.

— О том, что ты наконец поумнел. Да, еще минутку, Кира! — И она куда-то скрылась.

— Кузенька, любимая, что ты с нею сделала?

— Ничего, просто мне было с нею приятно и интересно, и она, видно, это почувствовала.

— Вика, поди сюда! — позвала его Вера.

Вскоре Котя вернулся с большим свертком на плече.

— Что это?

— Ковер!

— Но он ведь маленький!

— Твой-то маленький, а этот предназначен Даше на день рождения.

— Вера, ну что вы!

— У девочки в квартире каменные полы?

— Да.

— Ну так ей это очень даже пригодится. А не понравится, что ж, пусть кому-то другому передарит!

— Нет уж, если она окажется такой дурехой, я возьму его в Москву.

Вера обняла меня на прощание и прошептала:

— Спасибо тебе, деточка, я не думала, что в Союзе еще остались такие, как ты.

— Союза уже нет, а люди остались, и много.

— Вика, она настоящая оптимистка! Теперь я понимаю, почему она выбрала именно этот ковер! Дай Бог вам счастья, считайте, что старшая сестра вас благословила. Только смотри не упусти ее!

— Да, Котя, пожалуйста, не упусти меня! — сказала я, когда мы уже шли к автобусу.

— А что, есть такая опасность? — серьезно спросил он. — Или ты думаешь, этот самый Марат решит на склоне дней исправить ошибку молодости?

— Почему именно Марат?

— Есть еще кто-то? Этот московский?

— Нет, но мало ли кто еще может появиться, я в последнюю неделю почувствовала себя прямо секс-бомбой! Вдруг какой-нибудь американский миллионер преклонных лет приедет на историческую родину и при виде моей несравненной красоты падет ниц и...

— Пасть-то он, может, и падет, а вот встать ему будет трудновато, поэтому посоветуй ему не падать ниц.

— Ладно, сам пусть не падает, но бросит к моим ногам какую-нибудь корпорацию, дворец в Майами-Бич с бассейном, и тогда я могу не устоять.

— Ну, насколько я тебя успел узнать, из всего вышеперечисленного тебя больше всего привлекает бассейн? Что ж, первым моим подарком в Москве будет абонемент в лучший московский бассейн.

— А как насчет дворца в Майами-Бич?

— С дворцом, конечно, хуже, но свадебное путешествие в Майами, если тебе уж так приспичило, я обещаю! Вот с корпорацией будет посложнее, а впрочем, сейчас у нас, если очень захотеть, можно основать корпорацию. Чего не сделаешь ради любимой женщины. Так как, я уже могу не опасаться американского миллионера?

— Пожалуй, да!

— Кстати, о секс-бомбах, поехали ко мне?

— Котенька, я бы с радостью, но я ведь объяснила — мы с Дашкой еще ничего не обсудили, не купили...

— Кузя, что это за замашки Лисистраты? Я ведь уже понимаю — доступ к телу закрыт до после дня рождения?

— Ну почему?

— Ну потому — сегодня ты будешь все обсуждать, завтра покупать и стряпать, послезавтра достряпывать, убирать, накрывать, принимать гостей и так далее?

— В общем-то да...

— У меня идея — на правах жениха...

— А ты разве уже жених?

— Конечно! Вера нас благословила, Дашка, по-моему, тоже. Так что никуда не денешься, я теперь жених! Так вот, на правах жениха я присутствую при обсуждении, завтра с самого утра мы с тобой идем на шук, все покупаем, потом я помогаю тебе стряпать, пока Даша будет на работе, и за это время мы выкроим часок-другой для себя. А потом я тихо смоюсь и являюсь уже в гости, с цветами и подарками. Тебя такой вариант устраивает?

— Вполне.

— Вот и отлично! А знаешь, есть еще идея: сейчас придем, позвоним Даше, и пусть скажет, что надо купить перво-наперво. Что-то требующее мужской силы. И сходим прямо сейчас.

— Вот это мудро!

Дотащив до дому ковры, мы позвонили Дашке на работу. Она обрадовалась и поручила нам купить спиртное, муку, картошку, кое-какие консервы, иными словами, то, что понадобится в любом случае.

— Кузя, а может, мы пока...— жалобно проговорил Котя, крепко меня обнимая.

— Нет, Котя, у нас не так много времени, а чувство долга прежде всего. Мы два года не отмечали вместе этот день, и главное для меня сейчас Дашка.

— Признаю свои ошибки, я эгоист.

— Тогда пошли.

— А вы всегда вместе отмечали этот день?

— Пока Дашке не стукнуло четырнадцать. Она уже загодя стала намекать, что хорошо бы ей отдельно справить день рождения, только с ребятами, и чтобы я тоже куда-нибудь убралась. А я, честно говоря, вообще хотела в тот год все замотать, денег совсем не было. Попробовала заикнуться Дашке, но в глазах у нее такая печаль отразилась, что я пообещала что-нибудь придумать. Занимать мне не хотелось, и я продала свое колечко, еще мамино, тоненькое золотое колечко с маленьким изумрудом, очень изящное. Дашке я, конечно, ничего не сказала, наврала, что мне заплатили за какую-то старую работу. День рождения вышел на славу, и она была ужасно довольна — все ребята говорили, какая у нее клевая мама!

— А ты, значит, без дня рождения осталась?

— А вот и нет! Мои подружки, Алевтина и Лера, обзвонили всех, объяснили ситуацию, и все явились с выпивкой и закусками. Было ужасно весело! Знаешь, Котя, почему я такая оптимистка? Потому что у меня в жизни всегда так, в самых разных областях — вот, кажется, уже все, край, еще немного — и хана, но в последний момент происходит чудо и все как-то образуется.

— Вот-вот, я там, в «накопителе», сразу заметил, что еще немного — и тебе хана, и сразу образовался.

— Ты, конечно, наглый, но я все равно рада, что ты у меня есть.

— И я рад, что я у тебя есть, так мне за тебя спокойнее.

Нагрузившись, как вьючные животные, хотя основную поклажу нес, конечно, Котя, мы остановились у подъезда перевести дух.

— И как теперь переть это все наверх?

— А может, молодежь уже дома, покричи-ка им.

— Да нет, окна закрыты — значит, никого.

— Тогда постой тут, а я сейчас!

Он выскочил на улицу и скрылся. Минут через пять он вернулся с каким-то свертком, сияя торжествующей улыбкой.

— Что это, Котя?

— Терпение, мадам! Дай-ка мне ключи, а сама стой тут!

— Котя, что ты придумал?

— Погоди, увидишь!

Вскоре распахнулись ставни на галерее, и Котя спустил на веревке большую хозяйственную корзину.

— Кузя, давай загружай, да не так, равномернее распределяй, вот умница! А теперь отойди от греха! — И он потянул корзину наверх. Так он перетаскал все наши покупки. — Кузя, я и тебя бы так поднял, но, боюсь, корзина может не выдержать!

— Ничего, налегке я и сама как-нибудь уж влезу! Но ты, несомненно, гений!

— А ты думала!

Мы еще раз сходили за покупками и точно таким же манером подняли их в квартиру. За этим занятием нас застала Дашка.

— Ну вы даете! Потрясающе!

— Вообще-то в Италии всегда так делают, так что я не первооткрыватель!

— Интересно, а где вы веревку взяли, у меня такой не было!

— Тоже мне проблема — за углом хозяйственная лавчонка!

— Кент, вы молодчина! А если завтра утром

поможете маме на шуке затариться, то вообще вам цены не будет.

— Помогу, но при одном условии!

— Интересно!

— Если вы, Даша, дадите нам машину. Мне можно доверять, я опытный водитель.

— Господи, конечно, мне просто в голову не пришло. И вообще, пока я работаю, берите машину сколько угодно, повозите маму, покажите ей Мертвое море... Ох я и недотепа!

— А ваш муж не будет возражать?

— Данька? Да он не водит машину!

Даша покормила нас ужином, одобрила все наши покупки, и мы с нею, как бывало раньше, стали составлять список гостей и список того, что еще нужно купить.

— Мамуль, получается просто прорва народу, где мы их всех рассадим?

— Сколько всего?

— В лучшем случае тридцать человек!

— А в худшем?

— Все сорок!

— Но это же кошмар! Слушай, Дарья, у меня идея — давай в два приема праздновать. В субботу, допустим, взрослый день рождения, а в воскресенье детский, как ты считаешь?

— Нет, давай лучше так — кто поближе, позовем в субботу, а кто подальше — на следующую пятницу, а то два дня подряд ты не выдержишь.

— Даша, а меня куда? — поинтересовался Котя.

— Ну, Кент, вас и туда и сюда, вы уже почти член семьи.

— Мне эта идея тоже нравится, — сказала я. — Тогда давай посчитаем, сколько народу у нас будет в субботу.

— Вы с Кентом, мы с Данькой, четверо, Люба с Лизой и Пашей, Марат Ильич, не пожимай плечами, мама, я уже его пригласила и не могу отменить, Данькина мама, не закатывай глаза, мамуля, она все равно приедет, потом Любин хахаль...

Короче, набралось семнадцать человек.

— Девочки, поверьте опыту, рассчитывайте на двадцать! — посоветовал Котя, который, похоже, наслаждался этими семейными хлопотами.

— Ну, двадцать — это нам ништяк, — воскликнула Дарья. — Помнишь, мамуля, какие мы дни рождения закатывали?

— Еще бы не помнить!

В пятницу мы с Котей рано утром поехали на базар, купили все необходимое, опять при помощи корзинки транспортировали покупки наверх, и я взялась за готовку. Котя оказался незаменимым помощником — он виртуозно раскатывал тесто и с поистине архитектурным умением размещал готовые блюда в холодильнике.

— Котя, мне необходимо место для трех противней.

— В холодильнике?

— Ну да!

— А зачем ставить пироги в холодильник?

— Затем, что завтра за час до прихода гостей я их испеку. Так что гости будут есть пироги с пылу с жару, свеженькие.

— Ты это запатентовала?

— Идея нé моя, Алевтинина.

— Неглупая, должно быть, дама! Слушай, Кузя, если ты хоть на час не оторвешься от стряпни, я просто умру или пойду на набережную и сниму первую попавшуюся девицу. Тебя такой вариант устроит?

— О нет!

— Тогда пошли!

— Куда?

— Как куда? В твою комнату, или ты предпочитаешь прямо тут, как в каком-то постсоветском фильме?

— Нетушки! Котя, посмотри, я вся в муке...

— А может, меня это особенно возбуждает! Ладно, хватит мне зубы заговаривать, иди ко мне, моя радость!

Часа через полтора мы вернулись на кухню и снова взялись за дело.

— Котя, как с тобой хорошо...

Раздался телефонный звонок. Я взяла трубку.

— Кирочка, наконец-то я тебя застал!

Марат.

— Я слушаю тебя.

— Я только хотел спросить — Даша ведь моя дочь? Да? Почему ты молчишь? Я все подсчитал, и у меня нет и тени сомнения, тем более что у нее мои глаза.

Я молчала, как пыльным мешком прихлопнутая.

— Кира, не молчи, твое молчание только подтверждает мои предположения, да какие там предположения, просто уверенность! Кира, ну скажи, она моя дочь?

— А что это меняет? — упавшим голосом спросила я, и вправду не понимая, что это может изменить.

— Это в корне меняет все! Во-первых, я хочу, чтобы девочка знала, кто ее отец.

— Ты полагаешь, это знание сделает тебе много чести?

У Коти было страдальческое лицо — он не знал, как себя вести и чем мне помочь.

— Но ведь ты все скрыла от меня, моей вины тут нет!

— Марат, тебе не кажется, что это не телефонный разговор?

— Так давай встретимся!

— Я не могу, завтра у нас день рождения, будут гости, я должна все приготовить, поэтому встретиться с тобой смогу не раньше воскресенья.

— Но имей в виду, что завтра я тоже приду.

— Я помню, но только очень прошу — не уст-

раивай никаких сцен. Пусть у девочки будет нормальный день рождения, без сенсаций. Будь просто
гостем, а дальше мы поговорим.

— Согласен, но все же я не хотел бы отклады-
вать...

— Я же сказала — встретимся в воскресенье и
все обсудим.

— В таком случае до завтра!

— До завтра, да, кстати, приходи не к четырем,
а к пяти, мы не сообразили, что это суббота!

— Это твой Мурат звонил?

— Марат.

— И чего хочет? Дочку ему подавай готовень-
кую, да? Слушай, Кузя, а может, мне ему морду
набить?

— Не мешало бы...

— Я готов!

— Котенька, милый, что бы я без тебя делала...

— Кузечка, ты плачешь? Не смей! Не смей плакать, все будет нормально, Дашка у тебя девка
умная, прекрасно поймет, чего этот новоявленный
папочка стоит. Давай кончай со слезами, а то сейчас
Дарья явится — и что я ей скажу? Что ты лук
резала? Она, не дай бог, подумает, что это я тебя
довел до слез. А я торжественно клянусь доводить
тебя только до слез умиления!

— Котя, я боюсь...

— Чего, горе мое?

— Сама не знаю. Понимаешь, как он появляется
в моей жизни, мне делается страшно.

— Чем уж он так тебя пугает? Подумаешь, терминатор!

Мне стало смешно.

— Да какой там терминатор, он слабый, безвольный... хотя нет, безвольным его не назовешь, он такую недюжинную волю проявил...

— В чем?

— В отказе от меня. Он меня «отсек» называется.

— Ты тоже отсеки, раз и навсегда!

— Да я уж давно отсекла.

— Тогда в чем дело?

— Не пойму. Поцелуй меня скорее!

— Прошу прощения! — раздался вдруг смущенный голос зятя.

— О господи, Даня! Я и не слышала, как ты вошел.

— Извините меня, Кира Кирилловна!

— Ты не извиняйся, а привыкай, — посоветовал ему Котя.

Но я видела, что смущение зятя вызвано не только тем, что он застал свою драгоценную тещу в объятиях мужчины.

За этим крылось что-то еще.

— Ну, Данила, выкладывай, в чем дело? Что ты хочешь мне сказать?

— Понимаете, Кира Кирилловна, мне тут один приятель привез из кибуца... так гораздо дешевле...

— Да что такое, говори, не томи!

— Вот! — И он показал мне сумку, где лежали

три здоровенных карпа. — Понимаете, мне Даша говорила, что вы очень вкусно делаете фаршированную рыбу, а она рыбу даже в руки брать не желает... Вот я и подумал... Но, вероятно, уже поздно...

Да уж, возня с фаршированной рыбой никак в мои планы не входила, но, с другой стороны... какая возможность блеснуть и перед Котей, и перед Маратом, чтоб ему пусто было, своим кулинарным искусством!

— Хорошо, — сурово согласилась я. — Если кто-то из вас почистит мне эту рыбу, я, так и быть, ее приготовлю, но мне нужна свекла, а ее в доме нет.

— Итак, один из нас чистит рыбу, а другой идет за свеклой, — констатировал Котя.

— Я чистить рыбу не умею, — признался зять, — а вот купить свеклу мне вполне по силам.

— Выходит, рыбу так и так придется чистить мне, — вздохнул Котя. — А ты и вправду умеешь делать еврейскую рыбу?

— Еще как! А ты ее любишь?

— Не то слово!

— Даня! — завопила я вслед зятю. — Даня! Хрен! Здесь можно купить хрен?

— Думаю, на тахане найду!

— Без хрена не возвращайся!

— Замечательное напутствие! — расхохотался Котя. Вскоре вернулась Дашка.

— Мама! Что ты делаешь?

— Твой муж припер карпов. Подавай, говорит, теща, фаршированную рыбу!

— Так прямо и сказал?

— Нет, долго переминался с ноги на ногу.

— А где он?

— Побежал за свеклой и хреном.

— Понятно. Ну, мамуля, какие будут задания?

— Займись-ка ты уборкой, а то мы с Котей уже почти все сделали.

— А пироги?

— Давно стоят в холодильнике! — доложил Котя.

— Дарья, ты и вообразить себе не можешь, какой это гениальный поваренок!

— А чему тут удивляться, я, можно сказать, один дочку вырастил, всему пришлось научиться. Правда, до фаршированной рыбы дело не дошло.

— А сколько лет вашей дочке и как ее зовут?

— Зовут ее Надя, а лет ей двадцать восемь, и у нее самой уже две дочки-близняшки, Саша и Маша. Благодаря им я и нашел вашу маму.

— То есть?

— Я покупаю им книжки, и вдруг мне стали попадаться прелестные иллюстрации. Смотрю, какая-то Кира Мурашова! Вот, думаю, талантливая женщина! И вдруг в самолете представляюсь соседке, а она мне — Кира Мурашова. Ну, я, как вы теперь выражаетесь, в отпаде! А мама ваша, слабая женщина, оказалась страшно падкой на лесть и комплименты, и в результате я чищу карпа на день вашего рождения, Дашенька. Вот какие фортели иной раз выкидывает жизнь.

— А нечего обращать внимание на иллюстраторов, читал бы как все нормальные люди.

— Понимаешь, Кирочка, я все равно бы к тебе пристал, уж очень уморительные рожи ты там, в накопителе, строила!

— Ну и отлично, если в сорок семь лет ко мне еще пристают, можно сказать, на улице, значит, я прекрасно сохранилась!

— Кент, а чем ваша дочь занимается?

— Она окончила филфак, романо-германское отделение, а сейчас работает переводчицей-синхронисткой с итальянского и французского, зарабатывает кучу денег, а муж ее, биолог, пребывает от нее в материальной зависимости. Еще вопросы есть?

— Есть, но лучше я буду задавать их постепенно и невзначай, тогда ответы будут искреннее.

— Смотри-ка, какой психолог!

— А я и собираюсь стать психологом.

— Ну, Кузя, ты пропала! У тебя и так все мысли и чувства на лице написаны, а еще дочка будет психологом, тогда уж последние тайны наружу выйдут.

— Когда еще она станет психологом! Я к тому времени буду уже старушка и все мои тайны утратят актуальность.

Часам к десяти совместными усилиями — Даня тоже подключился к нам, а в восемь еще и Люба забежала помочь — мы сделали буквально все. Завтра оставалось только накрыть на стол и приготовить салат из свежих овощей. Прекрасно! Терпеть не могу в день рождения с утра возиться на кухне.

Заснула я, конечно, как убитая после всех трудов, ни на какие мысли сил уже не оставалось.

А рано утром, часов в шесть, Дашка явилась ко мне в кровать, как в детстве.

— Мамулечка, с днем рождения!

— И вас также!

— Мамулечка, а что ты мне подаришь?

— А ты мне?

— Сначала ты!

Это был традиционный разговор, из года в год повторявшийся слово в слово.

— Так и быть!

Я встала и полезла под кровать, где в день приезда спрятала сумку с подарками, присланными ей ко дню рождения ее и моими подружками.

— Это все мне? — ахнула Дашка.

— Ну конечно, налетай! Хотя погоди, перво-на-перво подарок от меня!

Я привезла ей модное светло-синее платье с большим вырезом и белой отделкой.

— Мамсик! — завизжала Дашка. — Я его сегодня надену. Ой, какая прелесть! Как мне идет! Смотри, и сидит как влитое! Как же ты мне угодила, мамулечка!

— Ну давай, смотри дальше!

— Нет, сначала мой подарок тебе. Вот!

Она подала мне маленькую коробочку, вернее, ювелирный футляр. Когда я его открыла, слезы так и брызнули у меня из глаз — в футлярчике лежало колечко, тоненькое золотое колечко с малюсеньким изумрудом, почти совсем такое, как я когда-то продала.

— Дашенька, так ты знала?

— Конечно, знала и тогда же сказала себе, как только у меня будет возможность, первое, что подарю маме, — такое колечко!

— Данечка, но ведь это, наверное, дорого?

— Нет, мамуля, тут все эти цацки куда дешевле, чем в Москве. И потом, разве в этом дело? Ты рада, да, мамуля? Надень его скорее! Не мало? Нет?

— Я теперь всегда буду его носить не снимая!

Мы обнимались, целовались, смеялись, плакали, словом, нам опять было так хорошо вместе!

— Мамсик, ты купаться собираешься?

— Собираюсь, а что?

— А можно мне с тобой?

— Что за вопрос! Неужели ты отважишься лезть в воду?

— Ну не знаю, мне просто хочется еще побыть с тобой.

— А ты чего в такую рань нынче встала?

— Не терпелось отдать тебе кольцо и вообще начать день рождения, двадцать лет как-никак.

По дороге она вдруг спросила меня:

— Мамуля, а что ты наденешь?

— Сама не знаю, вообще-то я хотела белый костюм, но...

— Нет, белый костюм Марат Ильич уже видел.

— А при чем здесь Марат Ильич?

— А при том, что если ты на свидание к нему надела такой шикарный костюм, значит, хотела сразить его наповал!

И впрямь психолог!

— Мамуля, ну скажи, у тебя с ним что-то было, это ведь неправда, что у него был роман с Алевтиной? Ну, мама, я ведь видела, как он на тебя смотрел. И на меня...

— Что?

— Мамуля, только не сердись, ты же знаешь, как я ко всему этому отношусь, ну скажи, это он, да?

— Кто?

— Это он, мой... отец? Да?

Она смотрела на меня синими, его глазищами.

— Данечка, тебе это так важно?

— Ага, значит, я права, это он! Ты спрашиваешь, важно ли, да нет, теперь уже не важно... но все равно, ужасно интересно посмотреть на своего отца, познакомиться с ним...

— Но ты уже познакомилась... — ляпнула я, и разговор из теоретического стал уже вполне конкретным.

— Эх, мамуля, была у тебя одна тайна и ту я разоблачила. Ты не сердишься?

Посреди пустынной в субботнее утро улицы она повисла у меня на шее.

— Чего ты боишься, мама? Мне же от него ничегошеньки не надо, тебе тоже, вон у тебя Кент какой клевый! Да ты сама подумай, как здорово —

он придет, а ты вся такая из себя красивая, нарядная, и с тобой Кент, видный, остроумный, влюбленный... Да, мама, а он-то знает?

— Догадался. Вчера вечером звонил, говорил, что все высчитал.

— Что высчитал?

— Что ты его дочь.

— А он рад?

— Понятия не имею. Мы должны с ним завтра встретиться и поговорить. Но большой радости я как-то не почувствовала. Даже если и рад, все равно в результате чего-нибудь да испугается.

— А чего тут пугаться, мы же ему не навязываемся!

— Еще не хватало!

— А ты у меня, мамочка, большой молодец, гордая!

— Да какая там гордость, черта ли в ней, просто очень уж не ко времени он появился, папуля твой. Я так когда-то мечтала о встрече с ним, и именно о такой, но теперь...

— Ты ему не все высказала, когда вы встретились?

— Ах, Дашка, давай не будем портить себе этот день!

— Мам, а как же мне теперь себя с ним вести, когда я знаю, что он знает?

— Думаю, выяснять такие вещи публично, тем паче в присутствии твоей свекровушки, не стоит. Я просила его пока молчать, хотя бы сегодня, молчи и ты. А завтра, если захочешь, можем встретиться втроем, и пусть-ка он покрутится!

— Правильно! Какая ты у меня умная, мама!

О нет, я дура, набитая дура, такая же, как все бабы! Что мне, спрашивается, надо? А надо мне, видите ли, выглядеть сегодня на все сто, чтобы убить одним ударом и Котю, и Марата! Хотя оба, кажется, и так убитые. Да нет, если честно, больше всего мне хочется утереть нос этой противнейшей бабе, моей сватье. Ох, до чего же я ее не люблю! На редкость мерзкая особа! Мы с ней знакомы уже лет пятнадцать. Когда-то она тщательнейшим образом скрывала свое еврейское происхождение, носила фамилию первого мужа Уварова, работала в Госплане и была правовернейшей коммунисткой. Как только коммунизм пошел на убыль, так тут же стало убывать и ее коммунистическое сознание. Она быстренько оформила брак с мужем-евреем, с которым жила, так сказать, во грехе, заставила его усыновить родного сына, до той поры считавшегося незаконным, и при первой же возможности уволокла мужа в Израиль, где бедняга Беркович очень быстро умер от какой-то сердечной болезни. Тогда она стала требовать, чтобы сын тоже приехал в Израиль, а Даня, уже тогда женихавшийся с Дашей, ни за что не хотел. Но тут он окончил консерваторию, работы для него не было, а мамаша сулила ему в Израиле блестящую карьеру. Вот тогда он быстро женился на Дашке, и они смотались. Блестящая карьера, насколько я понимаю, ему тут тоже не светит, но, в общем, могло быть и хуже. К счастью, Даня пошел не в мать, а в милого славного Берковича. Пусть-ка теперь эта поганка увидит, что я приехала из Москвы, которую она с презрением оставила лет семь назад, и не только там не захляла, а, наоборот, можно сказать, процвела, и вокруг меня вьются два мужика, которые оба — она же подробностей не знает — смотрят на меня горящими глазами... Ого-го, это будет весело, а все драмы как-нибудь утрясутся, рассосутся... Приняв такое решение, я успокоилась, развеселилась, и Дашка, которой я, разумеется, ничего не сказала о своих не слишком красивых намерениях, тоже сразу повеселела.

— Ни фига, мамуля, прорвемся, да?

— Ну конечно, мое солнышко, куда ж мы денемся!

Мы искупались, и Дашка с изумлением спросила:

— И ты каждое утро ловишь такой кайф?

— Да.

— Здорово! Буду теперь с тобой ходить!

На обратном пути она опять спросила:

— Ма, а что же ты наденешь? Надо что-то убойное!

— Я думаю, серебряную блузку.

— А с какой юбкой?

— Помнишь мое дымчатое шифоновое платье? Оно уже совсем вышло из моды, а когда я получила от Ланки с Петей посылку со шмотками и увидала эту блузку, как мне объяснила Васька, последний писк, я сразу отдала платье в переделку, получилась отличная юбка и большой шарф. С этой блузкой должно быть здорово!

— Ты еще это не надевала?

— Да нет, когда? Сейчас придем, померим!

Но когда мы пришли домой, нам было не до примерок. Заспанный Даня накинулся на нас:

— Куда вы подевались в такую рань? Тут телефон разрывается. Уже звонила ваша Алевтина, Валерия Васильевна, Васька и еще твоя Иришка!

Иришка — Дашина подруга с первого класса.

— А что ты им сказал?

— Что я мог сказать? Сказал, не знаю, теща по утрам купается, может, и дочку с собой прихватила.

— Они еще позвонят?

— Надо думать! Вряд ли их удовлетворит разговор со мной.

— Ой, — вдруг вспомнила я, — Дашка, тут для тебя еще есть подарок! — И я выволокла из-за шкафа Верин ковер.

— Мама, откуда эта прелесть, нет, это с ума сойти, какая красотища! Мамуля, откуда?

— Это тебе прислала Котина сестра. Она сама делает эти ковры.

— Сама? Вручную?

— Не знаю, у нее стоит там какой-то станок, но все равно это ручная работа.

— И какая! Сколько вкуса! Мама, ты можешь меня с ней познакомить? Я тоже хочу делать такие ковры! — загорелась Дашка. — Как ты думаешь, она сможет меня научить?

В этот момент раздался телефонный звонок, явно междугородный.

— Алло! — схватила я трубку.

— Кирюшка! — донесся до меня родной голос Алевтины. — Кирюшка, поздравляю, желаю и очень скучаю, это, кажется, чуть ли не первый день рождения, когда мы врозь! Кирка, до меня дошли слухи, что у тебя там роман века? Это правда?

— Откуда?

— Секрет фирмы. Скажи скорей, это правда?

— Правда, правда!

— Он тамошний или тутошний?

— Тутошний.

— То есть израильский?

— Алька, что с тобой? Он москвич, пятьдесят восемь лет, вдовец, умный, веселый, интересный, архитектор и во мне души не чает! Вот тебе полный отчет!

— А ты?

— Я тоже, но...

— Говори быстро, какое «но», а то я разорюсь!

— Алька, я тут Марата встретила!

— Мать твою! И что?

— Они оба догадались, и он, и Дашка.

— И что теперь?

— Понятия не имею, Аленька, я тебе лучше завтра из автомата позвоню, так, кажется, дешевле.

— Кирка, но я просто сойду с ума, черт с ними, с деньгами, говори — ты опять с ним спуталась?

— Ну, так это назвать нельзя...

— Рассиропилась, дура несчастная? Да?

— В общем-то нет!

— А в частности?

— Ой, Алька, у меня голова кругом идет, я половину людей, с кем хотела повидаться, еще не видела, я почти нигде не была, тут такое творится, и сегодня они оба придут, представляешь?

— Кирка, а этот, архитектор, он как, ничего?

— Он — чистое золото, мы с ним друг друга с полувзгляда понимаем, вот как с тобой...

— И ты хочешь все это пустить под хвост своему Марату? Даже не вздумай, гони этого кретина в шею, мало тебе, полжизни, считай, на него угрохала, а теперь еще последние годочки... Да он небось и не годен ни на что! Признавайся, ты с ним уже спала?

— С Маратом? Нет!

— И не вздумай! А то я тебя знаю — у него ничего не выйдет, а ты из жалости до конца дней будешь с ним возиться! Скажи, а с тем, как его зовут, кстати?

— Котя. Ой, Алька, а как там мой Жука?

— Жука в порядке, трескает китекэт, короче, жив-здоров, велел кланяться. Ты на мой вопрос не ответила, ты с этим Котей спала?

— Да.

— Ну и как?

— Потрясающе!

— Значит, так, подруга: чтобы о Марате я больше ни слова не слышала, ты чем думаешь? У тебя есть голова на плечах? Он тебе опять наплетет с три короба, и ты уже до гробовой доски будешь расхлебывать эту кашу!

— Алька, ты чего так разоралась?

— А мало я тебе, корове, слезы утирала с этим Маратом? Мне одно имя его обрыдло! Даже в Израиле от него спасу нет! Ты его, случаем, не у Гроба Господня встретила, а? И теперь считаешь это роковой встречей, да? Отвечай!

— Ну, где-то как-то...

— Я ж тебя, дуру, знаю... А как Дашка-то?

— Пока просто сгорает от любопытства!

— Слава Богу, хоть у этой котелок еще варит!

— Алька, кончай наставления, ты же в трубу вылетишь, вернее, в трубку! Целую тебя и непременно позвоню!

— Ладно, Кирюшка, расстроила ты меня.

— Алька, если будешь с Леркой говорить, предупреди, чтобы Вольке ни звука...

— Ясное дело! Ладно, подруга, целую. Не знаю, как я до твоего приезда доживу.

— Да, Алька, как там твой Смирнов поживает?

— Смирнов в порядке, смирный! Ну ладно, пока!

Телефон звонил не переставая, звали то меня, то Дашку. Поскольку друзей разбросало по всему свету, то звонили из Америки — Петя, из Зимбабве — Мишка-маленький... Интересно, увидимся мы с ними еще когда-нибудь? Но я же оптимистка! Вот кого мне сейчас действительно не хватает, так это Алевтины. Мы бы с нею просидели ночку, разобрали бы всю ситуацию по косточкам, разработали бы четкие стратегемы... Правда, потом каждая из нас поступила бы по-своему, но эти разговоры снимают напряжение, дают одновременно и разрядку, и зарядку.

Мы с Дашкой занялись последними приготовлениями, а Даня накрывал на стол.

— Мамуля, а Кент еще не звонил?

— Пока нет.

— Странно.

— Сама удивляюсь.

Тут опять зазвонил телефон.

— Ну это уж, наверное, он!

Но звонила Вера.

— Кира, позволь поздравить тебя и от души пожелать счастья, а главное, твердости!

Господи, неужто она поняла мои колебания?

— Спасибо вам. Вера, я страшно тронута. А кстати, Котя не у вас?

— Нет, деточка, за ним приехал Лазарь и повез его в Хайфу, но не волнуйся, к пяти он будет у тебя. Он решил съездить к Лазарю, а то, говорит, места себе найти не может.

— Вера, вот тут моя дочка рядом скачет, жаждет поблагодарить вас за ковер. Как она его увидела, только и знает что твердит — хочу учиться делать такие ковры!

— Учиться? У меня? Ну что ж, пусть приедет ко мне, мы с нею познакомимся, а там видно будет! Если поладим, буду очень рада! Передай ей привет и мои поздравления. Пусть позвонит мне, я почти всегда дома.

— Она согласилась, мама, согласилась? — вопила Дашка.

— Сказала, если ты ей понравишься, то, может, и согласится.

— Тогда порядок!

— А вдруг ты ей не понравишься?

— Это почему? — удивилась Дашка.

— А ты считаешь, что нравишься всем без исключения? — поддразнила я дочку.

— Ну, в общем и целом...

— Да, скромность не принадлежит к числу твоих добродетелей!

Опять звонок. На сей раз это уже был Котя.

— Кирочка, Кузенька моя, поздравляю тебя и желаю тебе такого замечательного мужа, как я! И Дарью поздравь! Кстати, дозвониться к вам, дамы, просто немыслимо!

— Вероятно, из Хайфы труднее дозваниваться.

— Из Хайфы? А ты почем знаешь? У вас там что, отделение Моссада? Нет, правда, Кузя, откуда ты знаешь?

— Вера звонила меня поздравить.

— Ого! Вот это победа! Сейчас расскажу Лазарю, то-то он удивится! Я им тут уже все уши прожужжал про тебя, они жаждут с тобой познакомиться...

Боже мой, я считала, что эта поездка будет отдыхом, а я чувствую себя как белка в колесе. Марат

с его раскаянием и отцовством, Котя с его любовью,
стремительно плодящиеся родственники... Вот, мне
уже необходимо знать, где Котя, чтобы быть спокойной, душа и тело тянутся к нему, но где-то в глубине
души шевелится то ли любовь, то ли жалость, то ли
неизжитая обида на Марата... Как говорят, без пол-
литра не разберешься. А может, мне сегодня вечером
просто напиться и тогда все проблемы отпадут сами
собой?.. Нет, ничего не выйдет, во-первых, я напи-
валась раза три в жизни, а во-вторых, не стану же я
портить праздник дочке.

— Мамуля, уже два часа! Пора заняться красо-
той. Давай-ка я тебе налью ванну, у меня есть
роскошная тонизирующая соль — полежишь четверть часа и будешь как новая!

— А ты?

— А что я? Мадам, вы забываете о небольшой
разнице в возрасте! Мне достаточно принять душ.

— А зачем же тебе эта соль?

— Мне ее подарили. Кстати, заберешь в Москву,
мне она без надобности.

После действительно очень приятной ванны
Дашка сделала мне маникюр — она успела в Израиле освоить эту специальность, — а потом занялась
моими волосами. Это мы с нею обе любили. Она
всегда считала, что я причесываюсь кое-как, не тщательно, и, когда было время, мы с нею играли в
парикмахерскую. Она колдовала надо мной с разными щетками и расческами, и результат всегда был

превосходный. Дашка готова была уже заняться моим макияжем, но тут я воспротивилась.

— Нетушки, мои детушки! Я сама, а то, я знаю, ты мне такое нарисуешь!

— Мамуля, я только хотела, чтобы ты была на уровне последних веяний!

— Это с лиловыми тенями и с кольцом в носу? Нет, я уж как-нибудь по старинке!

— Да ладно, мамсик, не бурли! Рисуй сама что хочешь! Но когда будешь одеваться, позови меня! Кстати, может, первый пирог уже сунуть в духовку?

— А который час?

— Три.

— Нет, еще рано, через полчасика.

Итак, я стала «делать лицо». Как ни странно, с годами я употребляю все меньше косметики. Помню, в ранней юности мы с Алевтиной мазались так, что штукатурка с лица сыпалась! Страшно вспомнить, как мы, шестнадцатилетние идиотки с прекрасной молодой кожей, сперва наносили только что появившийся в продаже немецкий крем-тон, потом глубоко отечественную жидкую пудру, а сверху еще сухую. На верхних веках рисовали стрелки и накладывали голубые тени. И были уверены, что иначе просто не может быть! Дурацкое время — юность! Вот уж не хотела бы вернуться в те годы! Лучший женский возраст — сорок лет. Ты уже умная, все знаешь, все понимаешь и еще все можешь! Комплексы отпадают, как пересохшая шелуха, и ты кума королю! А если ты хорошо сохранилась, то, при определенных условиях, можно довольно долго длить этот прекрасный возраст — за сорок! Тебя уже не проведешь на мякине, правда, только при условии, что ты не влюблена как полоумная. Тогда, конечно, хуже. От любви в любом возрасте дуреешь. Но я ведь не влюблена как полоумная? В Котю я влюблена, да, безусловно, но сказать, что как полоумная... Но не влюблена же я в Марата, в самом-то деле? Тогда что? Что со мной творится? Почему меня бросает то в жар, то в холод? Почему я то на седьмом небе, то словно лечу с гор, не зная, во что вляпаюсь внизу? Впрочем, понять, отчего я чувствую себя на седьмом небе, не так уж сложно — в моей жизни появился Котя и наконец исполнилась заветная мечта утереть Марату нос. А вот отчего я куда-то несусь...

— Мамуля, ты готова?

— Осталось только блузку надеть!

— А я первый пирог уже сунула в духовку!

— Умница моя!

— Ой, мама, как красиво! Знаешь, на вешалке я эту блузку недооценила! Такая мягкая, тоненькая, а выглядит как литое серебро! И до чего тебе идет! А с этой юбкой просто блеск! Погоди-ка, давай попробуем шарф на голову надеть, ну, мамочка, дай я завяжу, не понравится — снимешь, а я так прямо и вижу!.. Ну, мать, это отпад! Полный! Ты посмотри!

Я глянула в зеркало. Дашка завязала дымчатый шарф необычайно элегантным узлом чуть ниже левого уха и оба конца спустила на грудь.

— Правда здорово?

— Да, Дарья, нет слов... Слушай, но он же не будет держаться!

— Не волнуйтесь, мадам, сейчас все сделаем! — Дашка побежала к себе и вернулась с какими-то хитрыми заколками. — Минутку терпения, мадам, и даже ураган не сорвет этот шарф с вашей прелестной головки! Знаешь, ты даже выше кажешься в этом туалете! Ой, серьги немедленно сними, они с этим шарфом не годятся, слишком малы. Тут нужна одна длинная серьга.

— Дарья! В одной серьге я не согласна! Ни за что! Я не пират!

— Что у тебя с собой есть? — Дашка лихорадочно рылась в моей косметичке с украшениями. — О, вот то, что надо! — Она вытащила мои старые-престарые серебряные серьги, длинные и довольно экзотического вида, с мелкими жемчужинками.

— Вот! Смотри, мама! Данька, Данька, иди сюда! Погляди, какая у тебя теща!

— Да! — оторопел зять. — Ну, Кира Кирилловна, вы, извините, и так тут шороху навели... боюсь, как бы ваши эээ... кавалеры сегодня не передрались.

— Типун тебе на язык!

— Мамуля, тебя сегодня ждет сюрприз.

— Дашка, не пугай!

— Да нет, сюрприз очень даже приятный!

— Вот смотрю на вас, Кира Кирилловна, и думаю — правильно я женился. Если Дашка в вашем возрасте будет такой, то... О, вон идет ваш Викентий Болеславович, весь в цветах.

— Рановато вроде.

— Мама, он же на правах жениха!

— Ну, если так...

Честно говоря, я была рада, что Котя будет со мной, когда явится Марат.

— Мама, погляди скорей, какой он нарядный идет, и правда весь в цветах!

Я выглянула в окно, и на сердце у меня потеплело — к подъезду подходил Котя в элегантном светло-сером костюме, и его едва можно было разглядеть за двумя большущими букетами.

— Мамуля, открой ему сама!

— Погоди, мне еще босоножки надо надеть!

Ради такого случая я надела Дашкины черные босоножки на высоченных каблуках. Сама я давно уж таких каблуков не ношу.

— Мама, ну скорее, я хочу, чтобы ты сама ему открыла!

— Да! — выдохнул Котя, когда я открыла дверь. — Ну, Кузя... Не ожидал...

— Чего ты не ожидал?

— Такой красоты...

— Спасибо за комплимент! А поздравить меня ты не хочешь?

— Какие поздравления, у меня язык отнялся...

Вот, этот букет тебе, а этот Даше. И вот еще, держи, уж не знаю, угодил ли.

Он вручил мне изящно упакованную коробку.

— Что это?

— Погляди сама!

Я в нетерпении надорвала красивую бумажку, в которой оказались духи «Баленсиага»! Я давно о них мечтала, но они были мне не по карману. И откуда только он узнал?!

— Котя, это же мечта! Как жалко, что я уже надушилась!

— А где Дашенька?

— Даша, иди скорей сюда!

Она мигом выскочила из своей комнаты, тоже при полном параде.

— Ну, дамы, нельзя же так! Простому смертному не выдержать такого удара! Вот, Дашенька, примите мои поздравления и скромные дары!

— Спасибо, Кент, какие чудные лилии! А это что? Ой, альбом, да какой здоровенный, вот спасибо, а то у меня все фотографии свалены в ящике.

— Я это заметил, — скромно сказал Котя.

— Кент, можно я вас поцелую?

— Буду счастлив! А между прочим, ваша мамаша еще не удостоила меня поцелуем. Ах, я совсем забыл, вот сейчас-то она уж точно задушит меня в объятиях!

И он достал из кармана маленький свёрточек.

— Вот, в твою коллекцию!

Он положил мне на ладонь крохотного серебряного кота, ужасно милого и лукавого.

Я бросилась ему на шею.

— Котя, дорогой мой, спасибо!

— Мама, шарф! — взвизгнула Дашка.

— Только чур, пусть его зовут Котей!

— Два Коти — не слишком ли?

— А вдруг ты одного потеряешь?

У меня упало сердце.

— Ты о чем?

— Да нет, я просто пошутил, я лично теряться не собираюсь, а потерять маленького Котю тебе совесть не позволит.

— Котечка, откуда ты узнал про «Баленсиагу»? Я так о них мечтала!

— Если бы все мечты было так легко исполнить... Ты сама как-то обмолвилась, что это твои любимые духи, так что все элементарно.

В этот момент в дверь позвонили. Любка.

— Кирка, зараза, до чего ж я рада, что ты тут! Поздравляю тебя, о, какая блузка! С ума сойти! Здравствуйте, Викентий Болеславович!

— Любовь Израилевна, голубушка, давайте лучше звать друг друга по именам — Котя и Люба, а еще лучше — выпьем на брудершафт. Кирочка, ты позволишь?

— Ради Бога, но выпивка еще на кухне, у Дани. Идите туда.

Опять раздался звонок. Я открыла и... тут как в «Ревизоре» произошла немая сцена — на пороге стояла подруга моего детства Вавочка и друг моей молодости Стас. Оба они, не будучи знакомыми, давным-давно уехали из Союза, она в Германию, а он в Америку, и следы обоих затерялись. И вдруг они оба стоят передо мной живые, здоровые и с совершенно обалделыми лицами. Я тоже онемела от удивления. Первой пришла в себя Вавочка:

— Мурашка, это ты? Ничего не понимаю! Откуда ты взялась?

— А ты? — ничего умнее не придумала я.

— Девки, вы что, на старости лет спятили? — заорал Стас, довольно бесцеремонно оттер Вавочку и заключил меня в объятия.

— Кирюха, родная, вот уж не чаял тебя тут встретить! Какими судьбами? Да ты просто красавица! Ты что, тоже знакома с Дашей?

— То есть как знакома? Она, на всякий случай, моя родная дочь!

— Что? — завопила Вавочка. — Твоя дочь? И эта мерзавка ничего нам не сказала?! Мы же с ней в одном ульпане учились, такая милая девочка Дашенька Беркович! Кому же могло в голову прийти, что она твоя дочка! Даша! Немедленно иди сюда! — возмущенно вопила Вавочка, а Стасик трясся от хохота.

— Теперь я понимаю, какой сюрприз она мне обещала! Но постойте, вы ведь вроде не были в Москве знакомы?

— Не были, мы со Стасом тоже тут в ульпане познакомились и сразу поженились.

— А я даже не подозревал, что ты знакома с Вавочкой!

— Знакома! Мы все детство дружили.

— Да, она что-то говорила про любимую подругу детства Киру, но кто же мог подумать, что это именно ты!

— Но как Дашка все это подстроила!

— Дарья, сию минуту иди сюда!

Дашка явилась с невинным видом.

— А ну выкладывай, как ты все это сварганила!

— Понимаешь, звонит она третьего дня, — тараторила Вавочка, — и приглашает на день рождения, и хоть бы словечком обмолвилась, что мать приехала. Хотя я все равно бы не сопоставила, нет, ну надо же, какая хитрая девка.

— Все очень просто! — заявила Дашка. — Я сейчас все объясню. Я прекрасно помню Вавочкины фотографии у мамы в альбоме и как-то между прочим спросила ее, знает ли она такую художницу Киру Мурашову. И то же самое проделала со Стасом, я его сразу узнала, еще бы, я в него влюблена была, лет в семь. И я решила всем сделать сюрприз! По-моему, он удался на славу!

— Мурашка, как здорово, что мы встретились! По-моему, ты с годами даже лучше стала, красивее, увереннее!

— А ты, Вавка, совсем не изменилась, даже вроде и не постарела!

— Скажешь тоже!

Тут явились из кухни Котя и Даня с Любой, потом подоспели Лиза и Паша, разговор стал общим, громким, сумбурным и веселым.

— Любашка, а где твой Шац?

— Скоро явится, за гитарой поехал.

— Он поет?

— Ой, не надо!

— А что, плохо?

— Сама услышишь!

Затем пришла еще одна очень славная семья, две сестры и муж одной из них. Они тоже учились с моими ребятами в ульпане. Стас громко кричал:

— Ну, кого ждем? Вы хотите, чтобы я с голоду подох? Или дайте заморить червячка, или я разорю ваш роскошный стол.

Как приятно, как весело и мило, вот если бы не пришли Генриетта и Марат, все было бы просто чудесно.

— Даня, а где Генриетта Борисовна?

— Вы же знаете маму, она всегда приходит последней. Кстати, Кира Кирилловна, мама теперь называет себя только Еттой и не признает отчества.

— Старается отряхнуть прах? — не удержалась я.

— Вот именно. Звонят! Вы откроете или лучше мне?

— Иди открывай!

Явилась еще одна молодая пара, друзья Дани и Дашки.

Но где же Марат? Неужели не придет? А может, он хочет обратить на себя всеобщее внимание? Но это уж что-то из репертуара дорогой Етты. Чего я так волнуюсь? Надо взять себя в руки. Опять звонок. Сердце падает, теперь-то уж точно он. Я кидаюсь к двери, распахиваю ее и... на пороге стоит, по всей видимости, Любкин Шац, с гитарой и зеленым пластмассовым ведром, из которого торчит коробка конфет.

— Вы Кира? Очень рад, а я Боря, но обычно все зовут меня по фамилии — Шац! Будем знакомы!

— Очень рада, Боря!

У него хорошая улыбка, приятное доброе лицо, но при этом есть в нем что-то чуть-чуть нелепое.

— Заходите, заходите, Боря!

Он вытаскивает из ведра конфеты и вручает мне.

— Это вам! А ведро Даше, она сказала, что у нее плохое!

— Спасибо, очень кстати, ведро действительно никуда не годное! Дарья, иди сюда!

Ко мне подошел Котя и отвел меня на галерею.

— Давай постоим тут немного, а то там такой гвалт! Кузя, ты чего такая напряженная? Из-за Марата?

— Ну конечно! Понимаешь, Дашка мне объявила, она, дескать, просто уверена, что он ее отец. А я сдуру призналась, не могла больше скрывать, но взяла с нее слово, что она сегодня не покажет виду. И все равно я волнуюсь, а вдруг он сбежал, испугался, каково ей будет?

— Кузя, ты уж не столько его, сколько себя компрометируешь такими подозрениями — любовь, она, конечно, зла, но чтобы уж такой козел...

Снова звонят.

Котя берет меня за руку.

— Не дергайся, найдется кому открыть. Ты сегодня такая красавица, — страстно шепчет он и целует меня в шею — понимает, что нельзя портить макияж!

— О, Марат Ильич! Здравствуйте, заходите, прошу вас! — слышу я любезное Дашкино щебетанье. Надо пойти ей на помощь, наверняка ей сейчас тоже трудно, моей девочке.

— Мама, иди сюда, Марат Ильич пришел!

Я расправляю плечи и с милой улыбкой иду к дверям.

Марат слегка растерян. Но выглядит отлично — на нем почти белый пиджак и темно-синяя рубашка без галстука. В руках он держит гигантскую круглую коробку, больше всего напоминающую старинную шляпную картонку. «Уж не шляпу ли он принес в подарок?» — мелькает у меня дурацкая мысль.

— Кира, это тебе!

— Боже, что это, шляпа?

— Нет, почему шляпа, это торт! Вместо цветов! Вот это тоже тебе, а это Даше.

Даше он подарил тоненькую золотую цепочку с крохотной буквой Д, а мне довольно красивый шелковый платок с видами Иерусалима. Подарок с намеком!

— Дашенька, торт лучше поставить в холодильник, а то, боюсь, он может растаять!

— Это что, мороженое? — ужаснулась я.

— Да, я заказал у Семена, — гордо заявил он. — Семен шлет тебе привет.

— Спасибо ему!

Дашка подхватила торт и унеслась с ним на кухню.

— Кира, дорогая, позволь тебя поздравить... Как же ты сегодня хороша... совсем как тогда...

— Когда?

— Когда мы встретились на углу, у магазина, после разлуки. Нет, пожалуй, ты сейчас даже еще красивее, в тебе появилось что-то новое, и потом, ты так элегантна...

— Онегин, я тогда моложе и лучше, кажется, была...

— Я и в самом деле чувствую себя как отвергнутый Онегин.

— Марат, к чему тут литературные реминисценции, я просто хотела сказать, что в молодости, как ни крути, женщины все равно лучше...

— Нет, ты сейчас так красива, что комок в горле...

— Ну, это не от моей красоты, а от некоторой неловкости, которую ты, вероятно, испытываешь? Расслабься и успокойся, никто тебя тут не съест. Вот, друзья, позвольте вам представить моего очень давнего знакомого Марата Ильича Русакова. Мы с ним двадцать лет не виделись и случайно столкнулись в Иерусалиме. Прошу любить и жаловать!

— И я тоже должен его любить? — поинтересовался Котя, подходя ко мне вплотную. — А меня ты не хочешь представить публике?

— Да ты уже со всеми перезнакомился...

— Ах так, тогда я сам представлюсь. Господа! Господа, прошу минутку внимания!

Но тут опять раздался звонок. Слава Богу, а то он наверняка заявил бы, что я его невеста или что-то в этом роде. Сейчас это было бы не слишком уместно.

— О Кира, сколько лет, сколько зим!

Любимая сватья явилась. И впрямь, как всегда, последняя.

— Добрый день, Генриетта, — нарочно сказала я, и мы с нею смерили друг друга не слишком нежными взглядами — точь-в-точь две кобры.

— Кирочка, но мы же теперь родственницы, а в этом качестве еще не виделись! Давайте поцелуемся!

— Давайте, — с омерзением согласилась я, — но только по-русски мы не родственницы, а свойственницы.

— Ах, я уже забываю русский!

Русский она, видите ли, забывает, а на иврите — мне Дашка говорила — ни в зуб ногой. Значит, есть надежда, что вскоре она будет просто мычать.

— Кира, а вы отлично выглядите! И какой туалет! Это вы, конечно, уже здесь купили?

— Да нет, привезла из Москвы!

— Быть не может!

— Ну почему же? В Москве сейчас магазины со

всего света, — хорохорилась я в патриотическом запале.

— Что вы говорите! — неискренне удивилась она, обводя взглядом гостей. Взгляд ее остановился на Коте. — Кира, а кто этот интересный мужчина?

— Мой жених, — не удержалась я, — но это пока секрет, Генриетта, прошу вас, никому ни слова!

— Кирочка, я здесь отбросила первую часть имени, меня теперь зовут просто Етта, здесь это звучит естественнее.

— Хорошо, буду знать!

— Мамуля, все в сборе, можно садиться за стол! Садитесь, садитесь! — закричала Дашка.

Началась обычная суета, но наконец все расселись. Я сидела между Котей и Любой. Марат оказался напротив, Дашка села рядом с ним.

— Кто у нас будет тамада? — кричали гости.

— Я! — вызвался Шац.

— Ничего подобного! — заорал Стас. — Тамадой всегда и везде бываю я. У меня есть грузинские корни!

— Ввиду отсутствия грузинских корней предоставляю эту обязанность вам, — согласился Шац.

— Итак, друзья мои, первый бокал мы поднимем за двух наших новорожденных — мою старинную подружку Киру и ее замечательную дочку. Ура!

— Грузинские корни, видно, очень глубоко зарыты, — проворчал Котя.

Пока все было отлично — народ насыщался.

— Дашка, пироги ты пекла?

— Нет, это мама!

— А рыба? Какая великая женщина готовила эту рыбу?

— Про рыбу я все знаю, — рявкнул Стас, — такую рыбу я имел честь неоднократно вкушать в доме моей подруги Киры! Ее мама готовила гефилтер фиш божественно, и Кира стала ее достойной продолжательницей, она не только превосходная художница, но и великая кулинарка! Так выпьем же за эту рыбу — красивую, умную, талантливую, ох, что это я плету, выпьем за эту женщину...

Все смеялись, жевали, произносили тосты — словом, обычная застольная кутерьма. Лишь иногда я ловила на себе взгляд Марата — в нем читались изумление и тоска.

— Кирка, — прошептала вдруг Люба, — знаешь, а у него и в самом деле невыносимые глаза. Его жалко!

— Ага, теперь ты меня понимаешь! — шепнула я в ответ. — Марат, что-то ты плохо ешь, — обратилась я к нему. — Тебе не нравится?

— Да что ты, Кирочка, все удивительно вкусно! Ты, кстати, тоже ничего не ешь!

— Вполне естественно, я ведь все это готовила, мне не хочется.

— Как тогда...— неслышно произнес он, а я прочитала по губам.

Что же он со мной делает, я не могу оторваться от его глаз, что за власть они надо мной имеют!

Люба толкает меня в бок:

— Ты спятила? Если тебе на всех наплевать, хоть Котю пожалей.

С усилием оторвав взгляд от Марата, поворачиваюсь к Коте, который сидит мрачнее тучи.

— Кира, выйди на минутку в кухню!

Ого! Уже не Кузя, а Кира!

— Что случилось?

— Ничего! Прошу, выйди!

— Хорошо!

Я вышла на кухню, прихватив с собою освободившееся блюдо от рыбы. И тут же за мной явился Котя.

— Кира, не смей на него так смотреть!

— Как?

— Не знаю, но это непереносимо! Ты глаз с него не сводишь. А между нами, смотреть там не на что!

— Котенька, родной, успокойся, я просто пытаюсь понять, из-за чего я столько лет сходила с ума, а еще слежу, как они с Дашкой общаются, ну, Котенька, ты же такой умный, все понимаешь...

— Я понимаю только, что ты вьешь из меня веревки, — чуть смягчился Котя. — Знаешь, я хочу объявить о нашей помолвке.

— Котя, в нашем возрасте это просто смешно! Какая, к черту, помолвка?

— А почему бы и нет?

— Потому что глупо!

— А если я просто скажу, что ты выходишь за меня замуж? Это можно?

— Котя, но я ведь, по правде говоря, еще не согласилась...

— Да куда же ты от меня денешься, моя хорошая? Я все равно тебя доконаю! Уж если я встретил женщину, которую даже моя сестрица одобрила, так я ее не упущу, будьте уверены! А кстати, ты сама просила не упустить тебя, так что молчи уж... — Он поцеловал меня. — А этому хмырю синеглазому я тебя не отдам. Надо было двадцать лет назад чухаться. А ну пошли!

Он схватил меня за руку и потащил в комнату.

— Господа! Господа! Прошу минуту внимания! Вот эта дама сию минуту согласилась стать моей женой. Так что можете нас поздравить!

Все повскакали с мест, бросились к нам, стали обнимать, Стас уже орал «Горько!», но Котя весьма тактично заметил, что это преждевременно.

За столом остались сидеть только двое — Марат и Етта.

У Марата лицо было ошеломленное и убитое, а у Етты просто злое. Впрочем, оно у нее всегда таково.

Стройный порядок застолья был нарушен. Кто-то еще что-то ел, кто-то курил на балконе, кто-то толокся на кухне.

— Ребята! — крикнула Дашка. — А десерт?

— Погоди с десертом! — гаркнул Стас. — Сперва попляшем, попоем, доедим все, что есть на столе, а потом уж и до десерта дело дойдет.

И вот в комнате молодежь топчется под музыку, а те, кто постарше, собрались на балконе, где стояли кресла и стулья. Шац взял гитару и начал перебирать струны. Я сидела в кресле, а Котя присел на подлокотник, обняв меня. Марат сидел напротив и курил. К нему подсела Етта. Она о чем-то спрашивала его, он отвечал как-то невпопад, явно думая о чем-то своем.

Вдруг она громко сказала:

— Подумать только — такое сходство! Кира, вы не находите, что Даша страшно похожа на Марата Ильича, просто одно лицо!

На балконе воцарилась мертвая тишина.

— Если бы я не знала, что Дашенькин папа давно умер, я могла бы подумать...

— Прошу прощения, — очень холодно сказал Марат, — мне, конечно, весьма льстят ваши слова, но, поверьте, я тут ни при чем. В природе еще и не то бывает!

Молодец, не растерялся. Обещал сохранить это в тайне и сдержал слово.

— Петух еще и трех раз не прокричал, а он уже отрекся, — начал Котя.

— Не говори чепухи! — рассердилась я. — Я его просила молчать, совершенно ни к чему при всех обсуждать еще и это! Завтра они встретятся с Дашкой и все выяснят.

— Я так понял, что завтра ты с ним встречаешься?

— Нет, теперь уже нет, они оба знают и пусть поговорят с глазу на глаз. Дашка уже не ребенок.

— Ты мудрая, как змея, Кузя!

— Я не мудрая, я вконец растерянная!

— От чего ты так растерялась, моя хорошая?

— От всего. От Марата, от твоего напора... У меня, понимаешь ли, были совсем другие планы — отдохнуть, побыть с дочкой, повидаться с друзьями, порисовать, а вместо этого какие-то сплошные страсти...

— И это говорит оптимистка?

— Котя, милый, ты вот хочешь на мне жениться, но ты же совсем меня не знаешь — я терпеть не могу спонтанности, я люблю, когда все идет по плану...

— Начнем с того, что я тебя уже неплохо изучил, а что касается планов, то как архитектор могу тебе сказать, что даже в строительстве на определенном этапе один план может быть заменен другим, а уж в жизни... Считай, что теперь ты просто живешь по новому плану, только и всего. Ну, какие еще серьезные недостатки меня подстерегают?

— Я обожаю смотреть сериалы.

— Какой ужас!

— И терпеть не могу, если мне мешают. Для меня лучший отдых — завалиться вечерком на диван с чем-нибудь вкусненьким и смотреть «Санта-Барбару». И вообще, обожаю смотреть телевизор. И спать с тобой в одной комнате не буду!

— Вот это уже серьезно! Почему?

— Потому что не могу спать вдвоем, не привыкла!

— Сейчас я дам ему в зубы!

— Кому?

— Марату!

— За что?

— За то, что ты не привыкла спать вдвоем!

— Какой ты у меня глупый, Котя!

Между тем Шац начал петь под гитару. Любка сидела мрачная. Пение это и впрямь было малоуслади тельно. Песни скучные, немузыкальные, да и не песни вовсе, а вполне серьезные плохие стихи на музыку Шаца.

— Кузя, пошли лучше потанцуем с молодежью! — шепотом предложил Котя.

— Неудобно как-то и Любку жалко!

— Тогда подожди!

Едва Боря кончил очередную песню и собрался уже запеть следующую, как Котя обратился к нему:

— Слушай, друг, дай-ка гитару!

— Зачем? — опешил Боря.

— Мне тоже чего-то попеть захотелось.

Он взял гитару из рук обескураженного Шаца и стал перебирать струны, потом немного подтянул колки и заиграл. Он играл по-настоящему, умело и страстно. На эти звуки сразу сбежались все. Ай да Котя! Потом он сел напротив меня и запел «Живет моя отрада». Душа моя наполнилась восторгом — пение всегда очень действует на меня. Голоса у него не было, но пел он чудесно, музыкально, с удивительным чувством стиля — именно так, как надо петь в компании. И не сводил с меня глаз.

— Мадам, заказывайте музыку!

— Нет, пой что хочешь!

А про себя я загадала — если он споет «Не уходи, побудь со мною», то я выйду за него во что бы то ни стало.

Он пел один романс за другим, но это было не то. Значит, не судьба, подумала я, и тут же взгляд мой упал на Марата. Он сидел мрачный, постаревший, погруженный в какие-то невеселые мысли, но, поймав мой взгляд, вдруг улыбнулся, приосанился, сверкнул синевой глаз...

— «Как глаза сияют, ласково маня, не меня встречают, ищут не меня...» — пел Котя.

Опять я рвалась на части — восхищение Котей и жалость к Марату.

— Ну, теперь последний романс, мой любимый, и все! «Не уходи, побудь со мною, я так давно тебя люблю...»

Боже мой, как он угадал? Меня опять захлестнуло восторгом.

Едва он допел и вернул гитару Шацу, как Дашка закричала:

— К столу, к столу!

Все с удовольствием вернулись к столу и снова принялись за еду.

— Кирка, и почему я на тебе не женился? — проорал Стас. — Надо же, упустить такую классную бабу! Вавочка, не ревнуй, это так, ностальгические мотивы!

— Чего ж мне ревновать, я ведь вижу, Кире совсем не до тебя, — не без яда заметила Вавочка.

— Кирюшка, выйдем на кухню, — шепнула мне вдруг Люба.

— Пошли.

— Знаешь, кажется, Дашка с Маратом уже объяснились.

— Когда? Они, по-моему, все время были у меня на глазах, а я ничего такого не заметила.

— Да был момент, они сидели рядом, он ей что-то очень горячо объяснял, она была вся красная, а потом вдруг обняла его и поцеловала. Он тоже ее поцеловал, потом они что-то сказали друг другу и разошлись в разные стороны.

Так, папа с дочкой обрели друг друга. Интересно, надолго ли? А как поведет себя Даша в отношении Коти? И что будет делать Марат? Оба обещали мне молчать и все-таки не выдержали, улучили момент... Боже, как я устала! Мне вдруг страстно захотелось домой, в свою одинокую квартиру, на диван к Жукентию и Мейсону Кепвеллу.

— Кирка, что с тобой, ты чего так позеленела?

— Ох, Любашка, родненькая, я так чего-то устала. Ты же знаешь, я совсем не привыкла жить в вихре вальса...

— Кирюшка, соберись, я все понимаю, ты на части рвешься, да? Знаешь что, гони-ка ты в шею всех мужиков, давай мы с тобой вдвоем куда-нибудь закатимся, хоть потреплемся по-человечески, а то вон уж сколько ты здесь, а мы толком и не поговорили.

— Ох, хорошо бы...

— Мама, тетя Люба, вы чего тут шушукаетесь?

Мам, я уже убираю со стола, мы как, сразу все подадим — чай, кофе, сладкое и мороженое? Или нет?

— Я думаю, сразу, чего лишнюю суету разводить. Поставим все на стол, и пусть каждый берет что хочет. Я ставлю чайники, а ты там спроси, кому чаю, кому кофе.

— Да Лизке скажи, пусть оторвет задницу от стула! — напутствовала ее Люба.

— Она и так уже тарелки собирает! — доложила Дашка.

И правда, в кухню вплыла Лиза с большой стопкой грязных тарелок. А за нею Вавочка и Маня, Дашина подружка по ульпану.

Они принялись сразу же мыть посуду.

— Вавочка, зачем, мы бы и сами помыли.

— Понимаешь, Мурашка, мне всегда как-то совестно — люди трудились, готовили, накрывали, а мы пришли, сожрали все, разгромили и до свидания. Поэтому я всегда стараюсь хоть часть посуды помыть!

— Ты истинная христианка, Вавочка!

— Да, знаешь, Кира, я тут приняла православие. Или я сошла с ума, или все кругом с ума посходили? Надо было уехать из России в Германию, потом перебраться в Израиль, хотя большинство делает как раз наоборот, чтобы принять православие?

Пока христианка Вавочка с Маней мыли посуду, мы с Любкой заварили чай, кофе, приготовили чашки, блюдца и вазочки для мороженого.

— Кирка, доставай мороженое, а то будет слишком твердым, — деловито распорядилась Любка.

Я достала из морозилки Маратову шляпную картонку, развязала изящный бант, сняла крышку и...

На огромном, ослепительно красивом торте большими кремовыми буквами было выведено: «Она со-
перниц не имела!»

Мы с Любкой очумело уставились на эту красоту,
переглянулись и покатились со смеху. Мы были
близки к истерике, мы выли, стонали, держались за
животы и чуть не падали с ног.

— Кирка, — рыдала Любка, — какой болван
это принес?

— Марат, — еле выговорила я.

В кухню влетела Дашка.

— Что это с вами, тетки? Чего вы ржете?

Любка только тыкала пальцем в торт и хрипло
завывала.

Дашка глянула, свела брови, словно что-то при-
поминая, и рухнула на стул.

— Мама, это он принес? Да? — сквозь смех
проговорила она.

— Да!

— Мама, но он же не нарочно!

Тут на кухню заглянул Котя, увидел надпись на
торте и сквозь зубы произнес:

— Одно слово — козел!

Дашка хотела было обидеться за новоявленного
папочку, но чувство юмора взяло верх, она икнула и
залилась хохотом.

— Вот что, девочки, смех смехом, а подавать на
стол это нельзя, — заявил разумный Котя. — Во-

первых, его же все осмеют, хотя понятно, что намерения были самые благие и даже лестные для Кузи. Не волнуйтесь, я сейчас вмиг уберу это архитектурное излишество.

В самом деле, он ловко срезал кружок с надписью, образовавшуюся плоскость взрыхлил ложкой и спросил:

— Шоколад есть?

— Есть.

— Давай сюда. И еще крупную терку.

— Поняла!

Через минуту торт имел вполне приличный вид.

— Теперь можно и подавать!

Котя торжественно внес торт в столовую. Марат сидел с довольным видом. Бедолага! Котя осторожно поставил торт на стол, как бы приглашая присутствующих полюбоваться им. Торт и в самом деле был удивительно красив. И вдруг у Марата удивленно поднялись брови.

— Налетайте! — сказал Котя.

Лиза принялась раскладывать мороженое по вазочкам, и вскоре все уже наслаждались мороженым Семена. Все, кроме меня. Я была им сыта до гробовой доски. Когда за столом воцарилась благоговейная тишина, Котя вдруг довольно бесцеремонно взял гитару из рук Шаца и пропел:

> Когда она на сцене пела,
> Париж в восторге был от ней!
> Она соперниц не имела,
> Подайте ж милостыню ей!
> Подайте ж милостыню ей!

Кровь бросилась в лицо Марата. Он в ужасе взглянул на меня, а я улыбнулась и пожала плечами — мол, ничего, с кем не бывает. Котя, молодец, спел один этот куплет, а потом сказал:

— Нет, это сейчас неуместно, лучше я вот что вам спою:

> Две гитары, зазвенев,
> Жалобно заныли,
> Сердцу памятный напев,
> Милый друг мой, ты ли?
>
> Старый друг мой, узнаю,
> Ход твой в ре-миноре
> И мелодию твою
> В частом переборе...

Так хорошо, так прелестно он это пел, что все заслушались, а потом разразились аплодисментами.

История с тортом была забыта.

После мороженого начались танцы. Я танцевала с Котей. Танцевать с ним было необычайно легко, он вел так умело и властно, что оставалось только подчиняться.

— А ты вальс умеешь танцевать? — спросил он вдруг.

— Умею, а что?

— А то, что нынешняя молодежь не умеет!

— С чего ты взял?

— А вот давай проверим. Дамы и юные девы! — сказал он, когда музыка смолкла. — Минутку внимания, кто из вас умеет танцевать вальс?

Котя оказался прав — из женщин вальс умели танцевать только Любка, Вавочка и Етта, которой

Котя уже дал кличку Ета Дура. А из мужчин —
Котя, Марат и Стас.

— Ну, молодежь, хотите посмотреть, как танцу-
ют самый романтический танец? — вопил Стас. —
Люба, позвольте вас пригласить.

— Куда ж приглашать, еще музыки нет, — удивилась Люба.

— Музыка будет, этот Константин надежный
мужик.

— Какой Константин?

— Ну, этот, Котя!

— Он не Константин, а Викентий.

— Вот уж никогда бы не подумал!

Котя тем временем перебирал пластинки.

— О, вот то, что надо! — воскликнул он. — Не
слишком быстро, в самый раз для старшего поколе-
ния!

Но пока он ставил пластинку, ко мне поспешно
подошел Марат и пригласил на вальс.

Коте ничего другого не осталось, как пригласить
Вавочку. Етте танцевать уже было не с кем.

Марат тоже хорошо танцевал, а главное, в вальсе
он все же не мог прижать меня к себе так, как ему
хотелось бы, да что кривить душой, и мне тоже.

— Знаешь, Кира, мы с Дашенькой уже объяснились. Она сама ко мне обратилась так прямо и
спросила: вы мой отец? Что же мне оставалось делать?

«С берез не слышен, не весом слетает желтый
лист...» — пела пластинка.

— Я не знаю, я вообще уже ничего не знаю, — отвечала я. — Для меня нет никого важнее Дашки. Если ты ей нужен, ради бога, я мешать не стану. В конце концов биологически ты ее отец.

— Тебе не кажется, что это разговор не для вальса?

— Кажется.

— Выйдем на балкон...

На балконе никого не было.

— Марат, дай-ка мне сигаретку!

— Но ты же не куришь!

— Иногда, в особых случаях... Спасибо!

— Так о чем мы говорили? Ах да, о том, что я биологический отец...

— Ну я не знаю, может, это как-то иначе называется, но в самом-то деле разве ты отец?

— Кира, милая, я ведь ничего не знал! Мне и в голову не приходило!

— Опять двадцать пять! А если бы и знал? Да ты бы умер со страху! Это хорошо сейчас, в наше вольное время, говорить... Теперь все можно! Даже тебя, такого засекреченного, пустили в страну израильской военщины... Теперь, конечно, даже приятно узнать, что у тебя тут двадцатилетняя дочка, да еще такая красотка... и ей от тебя ровным счетом ничего не нужно... взрослая, замужняя... Вдобавок ты здесь один и это вряд ли выплывет наружу в Москве, если уж за двадцать лет не выплыло. А тогда... Воображаю! Да ты бы...

— Почем ты знаешь, как я повел бы себя тогда! — возмутился Марат.

— На собственном горьком опыте убедилась. Если ты просто влюбленной женщины испугался, то уж о ребенке и говорить нечего.

На балконе было темно, глаз его я не видела, и все мои обиды вновь взыграли.

— Знаешь, Марат, наверное, я никогда не смогу окончательно тебя простить, не из-за Дашки, нет, Дашка — это мое счастье, и поверь, за эти двадцать лет в нашей жизни было куда больше хорошего, чем плохого, а если и бывало худо, всегда было кому прийти на помощь. Что-что, а друзей выбирать я умею, вот только с любовью маху дала... А за Дашку я даже благодарна тебе...

— Тогда что же ты не можешь мне простить?

— То, что ты так долго морочил мне голову, то, что прошел мимо моей любви... Но все эти наши с тобой разговоры — сказка про белого бычка! Ну так о чем же вы с Дашей говорили?

— Я рассказал ей, что у нее есть сестра и брат...

— Ах, как трогательно! Боюсь только, сестру и брата известие о новоявленной израильской сестрице вряд ли обрадует. Впрочем, ты и не решишься сообщить им об этом интересном факте, не говоря уж о своей супруге!

— Кира, почему ты так горячишься?

— Потому что я ненавижу, ненавижу тебя! И не желаю ничего знать ни о тебе, ни о твоем семействе! Хочешь поддерживать отношения с Дашей — дело твое, я мешать не стану, но меня, меня оставьте в покое! — уже почти кричала я.

— Кирка, что с тобой? — пришла мне на помощь Люба. Вероятно, она услыхала мои вопли сквозь музыку и гвалт. — Пошли отсюда, неудобно, вы тут уединились, а там Котя волнуется, — шептала она мне на ухо.

— Не могу, не могу больше, что же это за наказание? Любочка, пойдем на пять минут в кухню!

— Да там бабы толкутся, кажется, все что-то почуяли, особенно Етта. Она просто на ушах стоит. Пойдем к тебе, полежишь немножко, и все пройдет! Помнишь, ты как-то заболела, а мы все перепугались, дежурили возле тебя по очереди, но больше всех перетрусила Лерка, ей казалось, что ты непременно помрешь в ее дежурство. Вот и хорошо, ты уже улыбаешься! Кирка, мы с тобой четыре года не виделись, а все равно ты своя, родная, а здешние, они почти все чужие...

— А Шац?

— А что Шац? Он хороший малый, любит меня, помогает чем может, но у него и у самого на шее мама, и потом, он такой зануда, ни в сказке сказать, ни пером описать!

— Как же ты это терпишь?

— Ну, во-первых, на бесптичье...

— Да, он еще тот соловей! Его трели я уже слышала!

Мы расхохотались. Раздался стук в дверь.

— Девочки, вы здесь? — в комнату заглянул

Котя. — Что тут у вас делается? Я не помешал? Чему вы смеетесь?

— Да так, вспоминаем кое-что из раньшего времени, — сказала Люба и собралась оставить нас.

— Нет, Любочка, не уходи, — задержал ее Котя. — Если ты уйдешь, я могу закатить Кузе сцену ревности.

— Это по какому же поводу?

— Ну, повод, я полагаю и даже надеюсь, у нас всегда будет только один — Марат Ильич. Гипотетический миллионер не в счет.

— Какой миллионер? — удивилась Любка.

— Ваша, то есть твоя подружка мне тут заявила, что чувствует себя секс-бомбой и ждет, что какой-нибудь американский миллионер швырнет к ее ногам не что-нибудь, а целую корпорацию! Но я взял себя в руки и решил к нему пока не ревновать. А вот Марат...

— Успокойся, Марату я сказала — пусть сколько хочет общается с Дашей, но без меня. Я в этом альянсе участвовать не хочу!

— Так и сказала?

— Так и сказала!

— Умница!

Любка тем временем все же выскочила из комнаты.

— Котенька, я немножко полежу, а ты посиди со мной, ладно?

— Конечно, моя хорошая, полежи, успокойся, столько волнений, моя девочка устала, надо немножко отдохнуть, они там без тебя прекрасно управляются...

И под его ласковое журчание я уснула.

Когда я проснулась, было темно и тихо. Неужто все гости разошлись? Я вскочила, и тут же ко мне заглянула Дашка в пижаме.

— Мамуля, проснулась?

— Который час? — очумело спросила я.

— Половина четвертого!

— Гости уже все ушли?

— Давно!

— Почему ж ты меня не разбудила?

— Котя твой не велел!

— Господи, стыд какой! А ты почему не спишь, тебе же завтра на работу?

— Нет, завтра не пойду. Шеф отпустил по случаю дня рождения. Давай-ка я помогу тебе раздеться.

Дашка помогла мне раздеться, расстелила постель, принесла лосьон и ваткой осторожненько смыла макияж.

— Чтобы ты завтра тоже была красивая. Папа пригласил нас на обед!

До меня не сразу дошло.

— Папа? Уже и папа?

— А что тут такого, мамочка? Он сам сказал, чтобы я звала его папой. Знаешь, как это приятно!

Бедная моя девочка!

— Данечка, родненькая, умоляю, не надо!

— Почему, мамуля, я как раз хотела тебе сказать, он мне очень-очень понравился, он добрый, красивый, и потом, мне его жалко.

Черт бы его взял!

— Знаешь, он когда уходил, я пошла его немножко проводить, мы с ним сели на лавочку, и он мне столько рассказал... Как он тебя любил, как мучился от этой любви и как меня полюбил прямо с первого взгляда... а еще он сказал, что счастлив, что у него есть я, и потому что я это я, и еще потому что я часть тебя. Вот! А еще он рад, что у вас с ним в этом мире есть что-то общее...

— Час от часу не легче!

— Мама, ты ему не веришь?

— Знаешь, детка, если взять ведро чая и бросить в него ломтик лимона, то вкус чая ничуточки не изменится. Вот так же и с правдой в словах твоего папочки. Ведро слов и малюсенький ломтик правды.

— Какое странное сравнение. Ты, наверное, хочешь чаю?

— Очень!

— Ну так бы и сказала! Я сейчас тебе принесу.

— Нет, пошли на кухню, мне еще и есть захотелось.

— Вечная история — при гостях ничего не ешь, а ночью нажираешься.

— Скажи уж сразу — как свинья!

В квартире не было заметно никаких следов праздника, только цветы в вазах напоминали о дне рождения.

— Даша, это ты так все убрала?

— Нет, это Вавочка с Маней, и Стас еще помогал. Здорово, правда?

— А Котя когда ушел?

— Он еще долго охранял твой сон, надеялся, видно, что ты сама проснешься. Но ты так сладко спала, и он взял с меня слово, что я не стану тебя будить. Мам, а ты правда согласилась выйти за него?

— Да вроде...

— Подумать только, в прошлую субботу мы с ним познакомились, самолет не считается, а в эту ты уже за него замуж собралась...

— Но ведь ты в тот же день от меня этого требовала, что же теперь тебя смущает?

— Папу жалко...

— А при чем тут твой папа? Он на мне жениться не собирается, да я и не пошла бы за него ни за какие коврижки. А с Котей я за эту неделю так сроднилась...

— Да, он тебя любит, это сразу видно. Мам, а ты папу совсем, ни каплюшечки не любишь?

Как легко она освоила слово «папа», выходит, ей этого все же не хватало, но какой из Марата папа для нее? Своим детям, насколько я знаю, он был неплохим отцом, но для моей девочки... Где ему набраться храбрости?

— Дашенька, милая, понимаешь, Марат такой человек... Ему сейчас кажется, что для него нет ничего важнее тебя, он не врет, он действительно в это верит, но потом он вернется в Москву, к реальной жизни, в которой для тебя нет места, да и быть не может. Он слишком слаб и уже стар, чтобы что-то рушить. Он, конечно, помучается, поугрызается, потоскует, а потом просто отсечет тебя, как в свое время отсек меня. Поверь, когда ты любишь, а тебя отсекают, — боль невыносимая. Мне просто хотелось бы уберечь тебя от этой боли.

Дашка глубоко задумалась.

— Знаешь, мама, он сказал, что встреча с тобой в Иерусалиме буквально перевернула его, и он понял, как бездарно прожил жизнь, а уж когда узнал обо мне, то просто переродился, он теперь на все готов, и одно твое слово...

— Ну, это чистой воды бред! Он много выпил?

— Да вроде нет. И еще он сказал, что ты — лучшее, что было в его жизни.

— Мне он это тоже говорил... Что ж, несчастный человек, его можно только пожалеть — от слабости и трусости отказался от единственной любви, выпавшей ему в жизни. Да и любви той — всего два дня было.

— Но ведь и у тебя той любви было два дня.

— Нет, у меня было несравненно больше — два дня, девять месяцев и двадцать лет. Есть разница? Когда я иной раз думаю обо всем этом, особенно в день рождения, я всегда говорю себе: все-таки самый лучший подарок на день рождения мне сделал Марат.

— А еще он сказал, что если бы ты от него не скрыла...

— Девочка моя, милая, ну прости ты меня, что

росла без отца, но если бы я тогда ему об этом сказала, он в лучшем случае предложил бы мне оплатить аборт. Вот если бы я лет восемнадцать назад встретила такого человека, как Котя, вся наша с тобой жизнь пошла бы по-другому... Да что там, я уверена, что и сейчас Котя будет тебе лучшим отцом, чем Марат. Котя уже любит тебя, хотя бы потому, что ты моя дочь. А Марат просто увлекся моментом.

— Что это вы тут полуночничаете? — заглянул в кухню Даня. — Э, да вы тут пируете вдвоем! А можно мне к вам? Я тоже что-то проголодался!

Очень вовремя, а то еще немного — и мы уже лили бы слезы над горестной судьбой Марата.

— Ничего себе традиции у вас в семье, — с полным ртом проговорил Даня, — вы себе дочку ко дню рождения родили, а она в день рождения папочку надыбала!

Действительно, забавно!

— Дарья, пойдешь утром купаться?

— Ой нет, я лучше высплюсь!

— Ну как хочешь. Ладно, детки, я пошла спать!

— Мамуля, завтра в четыре папа заедет за нами и повезет обедать. Не забудь!

До утра я уже не заснула, слишком долго спала вечером, да и мысли одолевали. В начале девятого я отправилась купаться. Как хорошо в воде, все куда-то отступает и остается лишь блаженно-восторженное чувство — Я! Купаюсь! В Средиземном море!

Привыкнуть к этому невозможно. И вдруг я увидела, что по пляжу идет Котя. Что-то в его походке меня насторожило. Так не идут, чтобы искупаться с любимой женщиной. Я поплыла к берегу. Да, он не раздевается, а стоит и ждет меня. Доплыв до мелководья, я побежала к нему.

— Котя, что случилось?

— Девочка моя, я должен сегодня уехать! У Нади несчастье — ее муж попал в аварию и здорово разбился. Я должен поехать, она же одна с двумя детьми, вконец растерянная, как ей без меня...

— Конечно, конечно, ты должен лететь, тут даже и думать нечего! А он серьезно пострадал? Жить будет?

— Ну, жить, наверное, будет, но оправится ли, не останется ли калекой...

— Боже мой. Боже мой!

— Понимаешь, я уже узнал, самолет в шесть часов, но мне еще надо обменять билет...

— Вот что: сейчас идем к нам, будим ребят, они все устроят.

— Не зря я первым делом помчался к моей девочке!

Он помог мне переодеться, мы бегом побежали к автобусу и через десять минут уже входили в квартиру. Дети, конечно, спали мертвым сном. Я постучалась. Никто не отозвался. Тогда я решительно вошла и стала трясти Дашку.

— А? Что? Мама, что случилось?

— Дашенька, срочно нужна ваша помощь, у

Коти зять попал в аварию, и ему необходимо как можно скорее улететь в Москву!

Дашу как ветром сдуло с постели.

— Данька! Вставай, дело есть!

Уже через десять минут Даша на кухне заваривала себе кофе, а Даня дозванивался в аэропорт.

— Кент, позвоните в Москву и узнайте, может, нужно что-то привезти отсюда, какие-нибудь лекарства или что-нибудь для ухода за больными, сами знаете, как в Москве с этим.

— Да, Дашенька, вы правы! Я позвоню попозже, из дома.

— Что за ерунда, звоните отсюда! Звоните, не теряйте время.

Котя позвонил дочери, она сказала, что пока не знает, что нужно, но позвонит врачу и потом перезвонит нам.

— Вот, а теперь спокойно выпейте кофе, поешьте и ждите звонка, — распоряжалась Даша. Взрослая, умная, решительная. Моя дочка.

Даня тем временем все выяснил — он уже отлично говорил на иврите — и сказал:

— Дашка, я сейчас еду насчет билета, а ты жди звонка из Москвы. Если что-то понадобится, сразу звони Файнзильбергу, он знает, где что найти. Викентий Болеславович, давайте ваш билет и паспорт. Не волнуйтесь, не потеряю.

Через полчаса раздался звонок. Надя сообщила, что если удастся достать одно лекарство и какой-то особый бандаж, то это сильно облегчит положение ее мужа. Дашка тут же позвонила Файнзильбергу и передала слова Нади. Неведомый Файнзильберг велел ей немедленно ехать в какой-то госпиталь, где ей выпишут рецепты и на лекарства, и на бандаж. Но стоить это будет пятьсот шекелей.

— Вполне по-божески, — сказал Котя и тут же выдал Дашке деньги.

Она унеслась. Мы остались вдвоем.

— Котенька, все обойдется, вот увидишь! Он поправится, твой зять, хорошо, Дашка сообразила насчет лекарств. Если еще что-то понадобится, ты только позвони...

— Я как-то вдруг растерялся... У меня же племянник врач, он, правда, по другой специальности, он отоларинголог... А растерялся я из-за тебя, моя хорошая...

— Из-за меня?

— Ну да, я был так счастлив, так хотел поездить тут с тобой, не расставаться... И вдруг это...

— Котенька, не огорчайся, никуда я не денусь, приеду в Москву, а на будущий год или даже осенью, если получится, можем опять сюда приехать, все в наших силах!

— Ты и вправду думаешь, все обойдется?

— Конечно, я же оптимистка!

— Бедная моя Надюшка, она и так на части рвется, а теперь...

— Ничего, ты сегодня уже будешь дома, поможешь ей, ты же пока в отпуске.

— Да, это хорошо. Через две недели я должен

лететь в Америку на десять дней, но если Федору лучше не будет, останусь дома.

— Значит, ты меня в Москве не встретишь?

— Увы, моя хорошая, если все будет нормально — нет, но я могу организовать, чтобы тебя встретили, наконец, попросить Надюшу...

— Да нет, зачем столько хлопот, Алевтина с Васькой меня встретят.

— Но это уж в последний раз, впредь встречать и провожать тебя буду только я! А еще лучше, будем ездить вместе. Знаешь, мне страшно хочется увидеть твою квартиру, знать, как ты живешь... А кстати, где мы будем жить, у тебя или у меня?

— Лучше всего для начала нам жить каждому у себя.

— Чтобы носки не стирать? А сколько у тебя комнат?

— Две.

— И у меня две. Можем поменять на роскошную трехкомнатную квартиру и сделать из нее игрушку.

— Начнем с того, что я не собираюсь уезжать из своего дома и с Алевтиной расставаться не собираюсь...

— Ага, еще один объект ревности — Алевтина!

— Вот-вот, уже был один английский козел, который ревновал ее ко мне, тихий, как банный лист, говорила про него одна наша приятельница. Так что ты не первый!

— Кузенька, о чем мы говорим, что за чепуху порем?

— Это чтобы отвлечься.

— Я не хочу от тебя отвлекаться, я ужасно тебя люблю, ты мне веришь?

— Конечно, верю.

— Видишь, ты первая, к кому я побежал, а ведь куда нормальнее было бы обратиться к Лазарю... но мне даже в голову не пришло... Ты как-то умеешь одновременно и волновать, и успокаивать...

Тут вернулась Дашка с лекарствами и бандажом, а следом за нею и Даня с билетом.

— Викентий Болеславович, все в порядке, я все устроил, вы полетите более ранним рейсом, правда, другой авиакомпании, но, думаю, в данном случае это роли не играет, ведь чем скорее, тем лучше, верно?

— И во сколько же рейс?

— В три!

— Кент, у вас вещи собраны? Нет? Тогда давайте я вас сейчас отвезу, вы быстро соберетесь, и поедем в аэропорт, как раз успеем.

— Кирочка, ты меня проводишь?

— Что за вопрос!

— Тогда, мама, чтобы не терять времени, ты пока приводи себя в порядок, а мы с Кентом поедем за вещами. Сколько вам надо на сборы?

— Четверть часа!

— Отлично! Значит, через час мы сможем выехать в аэропорт. Идемте, Кент!

Дашка уволокла Котю. Я быстренько оделась, навела скромную красоту, надо все-таки, чтобы он запомнил меня красивой. Что же это? Котя уезжает, а Марат остается, да еще в новом звании — папочка! А мне-то что? Я ведь решила в их отношениях не участвовать. Вот только боязно за Дашку, как бы он не причинил ей боли... Значит, мне нельзя полностью устраниться. Да, видимо, я здорово расслабилась с Котей и вот, как водится, буду за это расплачиваться. А еще я боюсь... боюсь Марата, его власти надо мной. Слава Богу, он, кажется, этого не осознает. Его глаза... Самое главное, взять себя в руки и не поддаваться жалости к нему, что бы он ни плел Дашке. Итак, решено: жалость будем выжигать каленым железом!

Вернулись Дашка с Котей.

— Мама, ты готова? Идемте вниз, прощаться будете в аэропорту!

Ого, какая она деловая, расторопная, серьезная, моя девочка! И зачем ей папочка понадобился?

Мы с Котей сели на заднее сиденье, а Даня рядом с Дашей, его взяли как главного знатока иврита — мало ли какое недоразумение может еще возникнуть.

Мы ехали молча, взявшись за руки. Потом я не выдержала, положила голову ему на плечо, он приобнял меня и легонько целовал в волосы. Вдруг какое-то странное чувство потери овладело мной. Но почему? Из-за перемены рейса? А вдруг самолет разобьется? Что за чушь! Каждый день сотни, тысячи людей меняют билеты — и ничего. Нет, тут что-то другое... Ну конечно, все очень просто — я почти уже решила покончить со своей одинокой жизнью, но, видно, судьба этого не хочет, она словно предупреждает меня — сиди тихо, не рыпайся, а то хуже будет! Но ведь я оптимистка?! Ну и что же, а может, одиночество как раз и есть оптимальный для меня исход? Я ведь его ценю, люблю и лелею, свое одиночество! Я ведь не хочу стирать носки? Не хочу! Не хочу по утрам сталкиваться с кем бы то ни было в кухне или ванной! Не хочу убирать и готовить, когда у меня идет работа, хочу в одиночестве смотреть по вечерам «Санта-Барбару»...

— Кузечка, о чем ты задумалась?

— Мне грустно, Котя!

— Мне скучно, бес!

— Ты очень волнуешься?

— Из-за Федора? Да, конечно, но сейчас я верю, что все обойдется. Как сказала бы одна моя знакомая — у тебя удивительная энергетика! Я всегда смеялся над этим, а теперь понимаю, что зря! Что-то в этом есть!

— Верно! — вмешался в разговор Даня. — Вот Кира Кирилловна, казалось бы, шебутная дама, а все равно от нее исходит какой-то покой, в отличие от моей мамы. Стоит маме появиться, вокруг нее обязательно какие-то завихрения атмосферы начинаются.

Мы все невольно расхохотались.

— Приехали! — объявила Дашка.

До вылета оставался час. Пока было можно, Котя не отпускал мою руку, а Дашка с Данилой деликатно держались в стороне.

Наконец, пришла пора прощаться. Котя крепко обнял меня, поцеловал и шепнул мне на ухо:

— Родная моя, будем считать, что это наше первое испытание, надеюсь, ты его выдержишь?

— А ты?

— Ну, я-то уж точно, я слишком тебя люблю!

И с этими словами он стал подниматься по лестнице, куда нам ходу уже не было. Еще раз обернулся и помахал мне рукой.

— Мамуля, ты расстроилась?

— Конечно.

— Ладно, поехали скорее, а то в четыре приедет папа!

— Даша, это без меня!

— Почему? Ну мамочка, пожалуйста, ну я очень тебя прошу! Что ты будешь делать одна дома?

— Полежу, посплю.

— И опять не будешь спать ночь.

— Тогда просто погуляю.

— Ну мамуля, ну почему ты не хочешь? — Эта взрослая решительная дама чуть не плакала, как девчонка, которой не хотят купить облюбованную куклу. — Мамочка, ну ради меня, пойми, мне так хочется хоть раз побыть с мамой и папой!

— Это запрещенный прием, — одернул ее Даня.

— Ничего не запрещенный! Я правду говорю, может, я всю жизнь об этом мечтала!

— Хорошо, если уж это мечта всей жизни, —

сухо согласилась я. — Но учти, сбывшиеся мечты обычно приносят только разочарование, поверь моему опыту!

— Мамуля, ты молодчина! Ура!

— А мне тоже обязательно присутствовать? — поинтересовался Даня.

— Еще бы! Ты же все-таки мой муж!

— Ага, мамочка, папочка, муж, для полноты картины следовало бы позвать еще и свекровь, ты не находишь? — спросила я.

— Да, Кира Кирилловна, вы правы, я, может, тоже всю жизнь мечтал побыть одновременно с мамой и с тещей, тем более что они в таких теплых отношениях...

Оставалось только засмеяться.

В начале четвертого мы были дома. Дашка, чувствуя, что я расстроилась и рассердилась, скакала вокруг меня козой и всячески подлизывалась. Долго сердиться на нее я никогда не умела, и потом, в присутствии детей это будет всего лишь светское общение с Маратом.

Он явился ровно в четыре. Сияющий, помолодевший.

Дашка бросилась ему на шею. Дуреха!

— Ну, мои дорогие, вы готовы? Тогда поедемте, тем более что машина у меня сегодня последний день.

— Папа, возьми мою машину!

Интересно, как бы она выкручивалась, если бы не уехал Котя, которому она тоже предлагала машину?

— О, это просто замечательно!

— И кстати, повози немножко маму, а то она еще даже Мертвого моря не видела!

— С огромным удовольствием!

Меня, между прочим, тоже нелишне бы спросить.

— Папа, а куда ты нас сейчас повезешь? К этому твоему Семену?

— Нет, — густо покраснел Марат.

Ну разумеется, к Семену уже страшновато. Слишком часто там светиться не стоит!

— Я нашел чудный итальянский ресторанчик на открытом воздухе, и там очень вкусно кормят. Ну что, поехали?

— Папа, я знаешь что подумала? Зачем нам куда-то ехать, тратить деньги, когда у нас полный холодильник всякой вкусноты. Жалко, если это все пропадет! Давайте лучше справим черствые именины!

— Правильно, Дашка! Вкуснее, чем моя теща, нас вряд ли где-нибудь накормят!

— Что верно, то верно, — согласился Марат. — Кирочка, ты не возражаешь?

— Ах, Боже мой, делайте что хотите!

— Даша, что такое с мамой? Ей нездоровится?

Дашка что-то быстро шепнула ему на ухо, и он понимающе кивнул.

— Мама, папа, вы посидите пока на балконе, а мы с Данькой все приготовим, накроем на стол. Мама, как ты думаешь, пирог разогреть?

— Как хочешь!

— Тогда я разогрею, так вкуснее.

Бедная девочка, она наслаждалась тем, что папа и мама сидят на балконе, а она с мужем возится на кухне. Иллюзия полной семьи! А я-то, дура, считала, что ей на это наплевать, что ей хватает меня...

— Кира, ты очень расстроена? Мне Дашенька сказала, что случилось, — участливо осведомился Марат.

— Я не хочу об этом говорить!

— Понял! Кирочка, я хотел извиниться за этот идиотизм с тортом.

— Да уж, удружил!

— Понимаешь, я хотел написать что-нибудь эдакое, и почему-то в памяти всплыла одна эта строчка, больше я ничего не помнил, но...

— Ладно, в наказание ты сегодня съешь эту надпись, ее спрятали в морозилку!

— Признаю себя виновным и полностью согласен с приговором. Кира, давай в самом деле поедем завтра с утра на Мертвое море! Это обязательно надо увидеть!

— Мне столько еще здесь надо увидеть, я ни разу даже альбома в руки не взяла...

— Вот и отлично, поедем, ты там порисуешь. Купаться в этом море удовольствие не слишком большое, но поглядеть интересно.

— Только имей в виду, я не люблю, чтобы мне мешали, когда я работаю.

— Да что ты, я буду тише воды ниже травы!

Ишь ты, как заговорил!

— Там видно будет!

— Мама, папа, идите обедать!

Стол был опять торжественно накрыт. Меня сегодня все раздражало до крайности. Нет, надо взять себя в руки и не портить Дашке праздник. В конце концов я сама во всем виновата и нечего валить с больной головы на здоровую!

— Давайте для начала выпьем шампанского! — предложила Даша.

— Нет, твой папа не пьет шампанского, когда-нибудь он тебе расскажет эту историю, а мне ее снова слушать неохота.

Дашка глянула на меня с испугом, в глазах Марата отразилось изумление — неужто я помню историю, рассказанную много-много лет назад?

— Мам, ты же сегодня вообще ничего не ела, — вспомнила Даша. — Съешь скорее что-нибудь, сразу успокоишься.

— Ах, я не успокоюсь, пока не узнаю, что самолет благополучно приземлился.

— Кира Кирилловна, он вылетел в три, значит, раньше семи мы никаких справок получить не сможем, а следовательно, не стоит волноваться раньше времени, — сказал мой разумный зять. Кажется, он меня жалеет.

У Дашки вконец несчастные глаза — она-то надеялась на мирный семейный обед с папой и мамой, а мама безнадежно все портит. Нет, так не годится.

— Ну, раз уж на то пошло, — начала я, — тогда продолжим день рождения. Предлагаю выпить за наше с Дарьей здоровье и процветание! — произнесла я таким бодреньким голосом, что мне самой стало противно. — Ох, извините меня, я что-то сегодня не в форме. Обещаю сидеть тихо и никому не портить настроение.

Но чем дальше в лес, тем больше дров... Я же сама всегда учила Дашку, что дурное настроение дело сугубо личное и нельзя его навязывать окружающим. Обычно мне удается справиться с любым настроением, но Марат выбивает меня из колеи.

— Дорогие мои, я просто кошмарно не выспалась, если я сейчас посплю полчасика, я буду опять как новая. Вы уж простите меня, я пойду лягу, а вы тут обедайте, только оставьте мне что-нибудь, иначе я потом с голоду всех перекусаю!

Кажется, они вздохнули с облегчением. Я и в самом деле валилась с ног. Ох, хорошо бы сейчас действительно уснуть. Да где там! Господи, что со мной... Котя улетел два часа назад, а я думаю только о Марате. Мне так хочется подойти к нему, погладить по голове, сказать ему что-нибудь ласковое... Вероятно, от усталости ушла куда-то обида, остались только нежность и жалость — самые губительные чувства для меня. А может, и впрямь это перст судьбы — живя в одном городе даже не слишком далеко друг от друга, мы встретились впервые за двадцать лет, если не считать той встречи на балу, в Израиле, там, где живет наша дочь. Умом я понимала всю нелепость этой ситуации, а душа и тело неудержимо тянулись к нему. Что до души, то тут все понятно, он так прочно в свое время там обосновался, пустил такие глубокие корни, что теперь, в здешнем теплом климате, они дают всходы, но тело? Даже двадцать лет назад он не произвел на меня сексуального впечатления, и до и после у меня были мужчины, которым он в подметки не годился, не говоря уж о Коте, это совершенно мой мужчина, но тем не менее я жаждала вновь оказаться в объятиях Марата. Что за чертовщина? А может, это возрастное? Говорят, у женщин моих лет очень возрастают сексуальные аппетиты. Да, но с Маратом-то я уж точно останусь на бобах. Двадцать лет назад он многое мог, но мало что умел, а теперь, наверное, не может ничего и вряд ли чему-нибудь за эти годы обучился... Что за наваждение с этим Маратом? Что в нем хорошего? Одни глаза... Ну, еще импозантная внешность... Но ведь этот человек в свое время смертельно меня оскорбил, отсек, он старый, легкомысленный, лживый, продолжала я накручивать себя, но почему же я так хочу его? До ужаса, до головной боли... А Котя? Нет, к Коте все это просто не имеет никакого отношения, это словно в другой жизни происходит. Ура! Я знаю, что делать, — если чего-то нельзя, но очень хочется, то можно! Решено, я соблазню Марата, и, если у него ничего не выйдет, что ж, проблема отпадет сама собой. А если выйдет? Да что там у него может выйти в шестьдесят с лишним и, кажется, после многолетнего перерыва, успокаивала я сама себя, и ко мне постепенно возвращалось хорошее настроение. Да, это надо сделать, и чем скорее, тем лучше. Отличная идея, а то потом буду до самой смерти локти кусать. И почему я должна отказываться от этого? Из-за Коти? Но ведь с Котей я знакома без году неделя, а тут мечта всей жизни, можно сказать... Ну, Кира, ври да не завирайся, в последние годы ты и думать о нем забыла. Да не забыла, не забыла, заставляла себя забыть, а он, как осколок после тяжелого ранения, застрял во мне, и вот теперь требуется срочное хирургическое вмешательство. Что это меня на военно-медицинскую терминологию потянуло? Верно, оттого, что мне предстоит сражение, в котором я просто обязана одержать победу, чем бы оно ни кончилось! Вот здорово! А Котя? А что Котя? Коти от этого не убудет, тем более что я отнюдь не принадлежу к категории женщин, которые, согрешив, тут же бегут к мужу и, заливаясь слезами, докладывают ему о своей измене. Вон даже дама с собачкой, хоть и обливалась слезами, а докладываться мужу не побежала!.. Стоп, Кира, какой муж, откуда он взялся? Котя еще не муж, да и будет ли им... Тихо, тихо, ты свободная женщина и можешь в свои сорок семь делать все, что тебе заблагорассудится! И, заранее отпустив себе все свои грехи, я тихонько встала и глянула в зеркало. Так, вид неважнецкий, но глаза блестят. Надо протереть лицо и чуть подмазаться, пусть думают, что я посвежела после сна. Поскольку я плюхнулась на кровать в чем была, значит, можно и даже нужно переодеться. Что-нибудь совсем простое, синюю юбку в горошек и беленькую блузку, чтобы оттенить уже появившийся загар. Скромное очарование интеллигенции. Чуть подкрасить губы, и можно идти. Ну, Марат Ильич, держитесь.

Я вышла в столовую.

— О, мамуля, я вижу, ты отдохнула. Совсем другой вид. Поспала?

— Чуть-чуть, но этого было довольно. Простите меня, я была немного не в себе. Извини, Марат, — кротко проговорила я.

— Да что ты, Кирочка, у тебя и в самом деле был утомленный вид. А сейчас ты опять красавица! Правда, Дашенька?

— А вы мне поесть чего-нибудь оставили или все слопали на радостях?

— Садись, мама, я тебя сейчас буду кормить! Папа, может, и ты за компанию тоже что-нибудь съешь?

— Ничего не имею против.

— Данила, а ты?

— И я. Ваш уход, Кира Кирилловна, как-то у всех отбил аппетит, так что давайте по новой!

— Интересно, а что же вы тут без меня делали?

— Ну так, немножко чего-то поклевали, а потом стали смотреть фотографии, — затараторила Дашка. — Папа хотел посмотреть мои детские снимки.

Очень трогательно, подумала я, но смолчала. И нежно улыбнулась Марату. Он расплылся в улыбке. Да, больших усилий тут не потребуется.

После обеда Дашка с Даней ушли на кухню, и мы остались вдвоем.

— Пойдем на балкон, — предложил Марат.

— Пойдем, — покорно согласилась я.

— Закурить не хочешь?

— Нет.

— Это хорошо, что ты не куришь, хотя тебе идет. Кирочка, я должен признаться, что сегодня просто счастлив.

— Вот и славно.

— Кира, что с тобой?

— А что?

— Почему ты на меня не нападаешь, со всем соглашаешься, это как-то даже подозрительно.

— А который час?

— Четверть восьмого.

— Извини, Марат, мне нужно позвонить.

Но тут на балкон вышел Даня.

— Кира Кирилловна, не волнуйтесь, самолет приземлился в Москве точно по расписанию, все в порядке.

— Ох, спасибо, Данечка, ты такой внимательный!

Дашка принесла на балкон поднос с чашками.

— Сейчас попьем кофейку! Мамуля, а тебе чаю, да?

— Да!

— А мороженого?

— Боже упаси. Да, кстати, надо привести приговор в исполнение!

— Какой приговор? — удивилась Дашка.

— Дашенька, меня приговорили к съедению идиотской надписи на торте!

— А ее уже Данька слопал!

— Повезло тебе, Марат, с зятем!

Марат довольно ухмылялся.

Семейная идиллия уже начинала меня раздражать. Надо бы как-то отвлечь от нее Марата. И он будто прочитал мои мысли.

— Дорогие мои, а не пойти ли нам погулять?

— Ой, нет, сегодня из Москвы КВН показывают, давайте вместе посмотрим!

Ей, как всегда, хотелось всего и сразу.

— Дарья, опять «пипи и яблоко»?

Дашка залилась краской и фыркнула.

— Знаешь, Марат, когда твоей дочке было три года, она вдруг влетела ко мне в комнату с криком: «Хочу пипи и яблоко!» Так это и вошло в наш семейный фольклор.

Марат умиленно улыбался.

— А я, пожалуй, не прочь пройтись, — сказала я. — Даня, ты, конечно, останешься с Дашкой?

— Да, мне тоже охота посмотреть КВН.

— Марат, а может, ты предпочитаешь посмотреть с ребятами КВН? Так ради Бога, я отлично пройдусь одна.

— Нет, мне хочется размяться.

— Но потом возвращайтесь пить чай! — напутствовала нас Дашка.

— Кира, а ты не хочешь искупаться? Сейчас, вечером, такая приятная вода.

— Но где? На набережной сейчас прорва народу!

— Нет, поедем за город, найдем пляж потише и искупаемся! Или просто погуляем вдоль моря, но купальник ты все-таки возьми.

— Мама, захвати еще теплую кофту, а то после купания может быть холодно!

— Какая чудесная у нас с тобой девочка, — сказал Марат, когда мы уже сели в машину. — Сейчас половина восьмого, давай рванем в Нетанию, там чудные пляжи, искупаемся, а потом посидим где-нибудь в кафе.

— С удовольствием!

— Какая ты сегодня покладистая!

Я усмехнулась и украдкой расстегнула пуговичку на юбке, чтобы видна была коленка.

— Марат, а ты ведь пил, ничего?

— Ерунда, что я там выпил! К тому же меня практически никогда не останавливают. Я ас!

Доехав до Нетании, мы выбрали почти совсем пустой пляж. Начинало смеркаться, было тепло, море чуть волновалось. Почему-то и здесь, как в Тель-Авиве, на пляже не было кабинок для переодевания.

— Марат, выйди, я переоденусь в машине.

Он покорно вылез. Я надела купальник и юбку. Когда я вылезла из машины, Марат смотрел на меня горящими жадными глазами.

— А ты будешь купаться? — спросила я.

— Конечно!

Мы долго плавали, наслаждаясь удивительно теплой водой, и дурачились, как молодые.

— Хватит, милая, пора вылезать, у тебя волосы совсем промокли, ты можешь простудиться, ночи еще прохладные, идем!

Мы вышли из воды. Марат набросил мне на плечи полотенце.

— Ну вот, конечно, ты уже вся дрожишь! Какой дурак!

Он стал заботливо вытирать меня и вдруг прижал к себе на мгновение и тут же оттолкнул.

— Нет, не могу, я сойду с ума! Я так хочу тебя, что...

— Марат...

— Не надо, не смотри на меня так, мне начинает казаться...

— Марат...

— Идем скорей!

— Куда?

— В машину!

Ах, не все ли равно, в машину так в машину, лишь бы быть с ним, обнимать, целовать его. Но не тут-то было. На стоянке кишмя кишел народ.

— Поедем ко мне, — хрипло прошептал Марат. Между тем уже почти стемнело. Он гнал машину по шоссе и вдруг резко свернул в сторону, на какую-то узкую дорогу, проехал немного и затормозил.

— Все! — выдохнул он. — Больше не могу, черт с ними, с израильтянами, иди ко мне скорей, моя любимая!

Все, что двадцать лет мы оба так или иначе загоняли вглубь, от чего пытались избавиться, вырвалось наружу. Боже мой, как же я жила двадцать лет без этих поцелуев, этих прикосновений... Мои предположения о его возможной несостоятельности не оправдались, и я с упоением отдалась ему в машине на каком-то израильском проселке. Ну и коленца откалывает судьба!

Меж тем уже совсем стемнело. И к лучшему. Воображаю, в каком мы были виде — в песке, в поту, да и одежонка наша, надо думать, пострадала во время любовных игр, не до нее нам было.

— О чем ты думаешь? — еле слышно спросил Марат.

— О том, что пора возвращаться, Даша, наверное, уже волнуется.

— А я думаю о том, что я самый счастливый и одновременно самый несчастный человек в мире! Как я мог добровольно лишить себя такого счастья, такого блаженства! Я словно и не жил эти годы! А ты вернула мне жизнь, ты вновь сделала меня мужчиной, ты вырастила мою дочь... Как же я виноват перед тобой, любимая, единственная, от тебя пахнет морем...

Этот пафос вперемешку с любовным бредом в темной машине на пустынной дороге привел меня в чувство.

— Ну хватит, Марат, пусти! Надо как-то привести себя в божеский вид и ехать домой.

— Нет, поедем ко мне!

— Даже и не думай!

— Но почему?

— Потому! Как все это будет выглядеть в глазах детей? Мамочка пустилась во все тяжкие?

— Ты хочешь сказать... что ты... спала с этим, как его...

— А ты полагаешь, что я в сорок семь лет собираюсь выходить замуж в белом платье с флёрдоранжем, блюдя невинность до брачной ночи?

— Ну не сердись на меня, старого дурака, я так счастлив, только и мечтаю о повторении...

— Полегче, полегче, Марат Ильич!

— Нет, у меня еще пять дней здесь, и я не желаю терять время!

— Рассчитываешь за пять дней наверстать упущенное за двадцать лет?

— Ну хоть самую малость, а потом, почему только пять дней? А в Москве?

Мне стало смешно.

— Ладно, выйди из машины, надо одеться и что-то придумать, отчего мы в таком виде.

— Проще простого: искупались, заблудились, колесо спустило, чем не версия?

— И что тебе мешало так складно врать двадцать лет назад? Я ведь не требовала развода, может, побегали бы полгода на тайные свидания и никакой любви давно бы уж не осталось!

— Выходит, нет худа без добра?

— Выходит, так!

— Значит, ты любишь меня? Не пытайся возражать, я это понял вчера, когда ты кричала, как ты меня ненавидишь!

Неужели это было только вчера — день рождения, Котя, этот кретинский торт, а я снова увязаю в любви к Марату. Нет, с этим надо что-то делать! Но странно, я не чувствую вины перед Котей, при мысли о нем у меня просто делается тепло на душе. Про таких, как я, моя Алевтина говорит: она не блядь, а честная давалка. Нет, все не так, с Котей я сошлась по велению души, тела, потому что была влюблена в него. А с Маратом все куда сложнее, и... вообще не в счет. Это вне жизни — пять дней, и все. Пусть они будут, эти пять дней, как награда за двадцать лет. А потом все равно конец. И не надо сейчас думать о Москве. Пять дней да мои! А потом я буду здесь общаться с друзьями, поезжу по Израилю, порисую вволю, но это все потом, потом, а эти пять дней — мои, мои, мои!

— Марат, который час?

— Одиннадцать.

— Ого, надо спешить. Но вид у нас с тобой совершенно непристойный. Что же делать?

— Надо позвонить им и сказать, чтобы не ждали нас, ложились спать.

— А у тебя есть телефонная карточка?

— Нет.

— И у меня нет. Значит, это отпадает. Тогда так, поедем к Любе.

— А где она живет?

— На улице Членов.

— Что?

— Да, да, ты не ослышался, на улице Членов.

— Что за дикое название?

— Это улица Членов какого-то конгресса или что-то в этом роде, но адрес — просто улица Членов, дом такой-то.

— Грандиозно! Я в Москве всем буду рассказывать, что жил на улице Членов. Но я не знаю, где это.

— От нашего дома я дорогу найду.

Подъехав к Любиному дому, я глянула на ее окно. Там горел свет, а в других комнатах было темно. Если звонить в дверь, мы всех перебудим. Попробую покричать в окно.

— Люба! — сдавленным голосом позвала я.

Не слышит.

— Любашка!

Ничего.

— Давай я камешек кину, — предложил Марат.

— А стекло не разобьешь?

— Скажешь тоже! О, тут есть песок, еще лучше!

Он нагнулся, взял горсть песка из какой-то кучи и швырнул Любке в окно. Она мгновенно выглянула.

— Кто тут?

— Любка, это я, Кира!

— Кирка, ты что тут делаешь?

— Впусти меня скорее, потом объясню.

Дверь подъезда была уже заперта на ночь, и Любке пришлось спуститься вниз. Она открыла дверь, всплеснула руками при виде меня и, ничего еще не успев спросить, обнаружила стоявшего за моей спиной Марата.

— Здрасьте, ну и вид у вас! Вы что, пьяные? Ладно, поднимайтесь, только тихо, мои уже спят.

— А позвонить от тебя можно?

— Можно.

Мы на цыпочках вошли в квартиру.

— Что случилось?

— Любочка, можно Марат сперва приведет себя в порядок, а я пока все тебе объясню и позвоню Дашке.

— Звони, а я провожу Марата Ильича в ванную. Только постарайтесь не шуметь.

Я позвонила домой.

— Алло, Дашенька!

— Мама, куда вы пропали? Что-нибудь случилось?

— У нас колесо спустило, уже в темноте, пока то да се, вот только сейчас добрались до телефона. Через полчаса будем дома. А вы нас не ждите, ложитесь спать.

— Нет, непременно дождемся, надо ведь дать папе ключи от машины, все объяснить, договориться. Короче говоря, ждем.

Едва я положила трубку, передо мной возникла Люба, вся как Божия гроза.

— Вы что, прямиком из койки? Ты ничего умнее не придумала? Где Котя?

— Да, ты же еще ничего не знаешь! Котя улетел в Москву, его зять попал в аварию.

— И ты тут же спуталась с Маратом! Хороша,

нечего сказать! Где это вы, интересно знать, валялись? Под каким забором?

— Нет, Любашка, мы не под забором, мы в машине, но после купания!

— Чуяло мое сердце, что ты не удержишься. Дура стоеросовая. Корова! Мало настрадалась из-за этого...

— Любка, не надо меня ругать, я сама все знаю, но это было сильнее меня.

— Посмотри, на кого ты похожа! Давай живо раздевайся, надо прогладить юбку, да и блузку тоже. Вот, возьми мой халат! Засранка! Нет, просто зла не хватает! Такой мужик ей попался, а она... Вчера элегантная дама, фу ты ну ты, а сегодня кошка драная, подзаборница...

— Любка, я такая счастливая!..

— Он что, так хорошо тебя трахнул?

— Да не в этом дело! Как ты не понимаешь — я через двадцать лет все-таки дождалась...

— Чего ты дождалась, голова садовая? Чего? Ну трахнулась с ним, и дальше что? Может, еще пару раз трахнешься... в лучшем случае, а потом?

— Я не знаю и знать не хочу, что будет потом, мне про потом неинтересно, в сорок семь лет интересно про сейчас, про сию минуту.

— Может, ты и права, — вдруг грустно проговорила Люба. — А что будет с Котей?

— С Котей... Котю я, кажется, люблю.

— Интересная логика! А с этим недопеском что?

— Не знаю... Безумие, наваждение, сексуальный

шок, реванш, сбывшаяся мечта, не знаю... Знаю
только, что не могу спокойно быть рядом с ним,
умираю от желания... Все про него понимаю, ты не
думай, я ничуточки не обольщаюсь, я просто добираю
то, что недобрала, и он тоже...

— Ну он, допустим, недобрал, но про тебя я бы
этого не сказала, у тебя, кажется, никогда недостатка
в мужиках не было...

— Ах, Любка, это все не то, пойми, это как...
Ну, если бы тебе вдруг подарили кусочек твоей
молодости, всего пять дней, и ты можешь что-то
наверстать...

— Пять дней? Почему именно пять?

— Потому что через пять дней он уезжает!

Тут появился очень смущенный, но довольно чистый Марат.

— Простите ради бога, но...

— Да ладно, мне уже все объяснили, можете себя
не утруждать, — очень сухо проговорила Люба. —
Иди умойся и причешись! — басом приказала она
мне.

Я бросилась в ванную. Видок у меня был еще тот!
Глаза горели каким-то мартовским кошачьим огнем,
щеки пылали, губы вполне недвусмысленно припух-
ли. Я быстро приняла душ, потому что все тело было
в песке, тщательно умылась холодной водой, стараясь
при этом думать о чем-нибудь очень добродетельном.
И когда я вышла, Любка, взглянув на меня, проворчала:

— Вот теперь ты отдаленно напоминаешь приличную женщину!

— Суровая дама, — сказал Марат, когда мы сели в машину.

— Да, знаешь, мы как-то в Новый год играли в такую игру — пишется рассказ без прилагательных, желательно о всех присутствующих, пишет кто-то один, а потом все остальные называют прилагательные, самые нелепые, автор их вписывает, а потом вслух читает рассказ. И порою бывают уморительные совпадения. Вот и Люба в таком рассказе оказалась свирепой Любовь Израилевной. Мы потом ее только так и звали, а вообще она ужасно добрая, моя Любка, я страшно ее люблю.

Мы подъехали к дому, поднялись по лестнице, стараясь держаться на расстоянии, чтобы нечаянно не коснуться друг друга, это было слишком опасно. «Мы провода под током», — вспомнился мне опять Пастернак.

— Ну наконец-то, — приветствовала нас Дашка и наградила поцелуем каждого из родителей. — Вы голодные?

— Да!

— Понимаешь, мы хотели после купания зайти в кафе, а в результате Марат черт-те сколько проканителился с колесом, затем мы куда-то не туда заехали, поэтому так припозднились.

— Ничего, сейчас я вас накормлю! Пойдемте на кухню, а то Данька уже лег.

Пока она возилась с ужином, они с Маратом

обсуждали, куда нам с ним следует съездить, потом Дашка вручила ему ключи от машины, объяснила, где она стоит, и т. д. Мы с Маратом накинулись на еду, а наша дочка, подперев кулачком подбородок, с любовью и умилением взирала на нас. А я, дура набитая, чувствовала себя совершенно счастливой — я сидела за столом с мужчиной, которого любила больше всех на свете (я как-то забыла, что эта любовь осталась в далеком прошлом), и с единственной обожаемой дочерью, моей и этого мужчины. В какой-то момент мы с Дашкой встретились глазами, и, кажется, она прочитала мои мысли и улыбнулась мне, грустно и отчасти виновато. Хотя, видит Бог, ее вины тут не было.

— Папа, перебирайся-ка ты к нам, зачем тебе жить у чужих людей, когда у нас есть свободная комната.

Что она делает?! Я же погибну!

— О, это просто прекрасно! — вскричал Марат. — Завтра же я переберусь, если, конечно, Кира не возражает.

Я понимала, что надо, надо возразить, причем категорически, но при мысли о том, что у нас будут не только дни, но еще и ночи...

— Папа, а ты прямо сегодня и оставайся, я сейчас тебе все приготовлю!

— Нет, девочка, это невозможно, я должен предупредить хозяев квартиры, привести там все в порядок, оставить машину и так далее. Но завтра вечером я уже буду здесь, с вами, мои дорогие...

Зазвонил телефон, звонок явно междугородний. Неужели Котя?

Это и в самом деле был Котя.

— Кузенька, я тебя не разбудил?

— Нет, что ты, ну как там дела?

— Да вроде бы все не так уж страшно. Дашино лекарство и бандаж очень пригодились, так что передай ей привет и благодарность от будущей сводной сестры. Я все рассказал Надюше, она очень за меня рада. Кузенька, почему ты молчишь?

— Я просто слушаю.

— А что у тебя с голосом, что-то случилось?

— Нет, ничего, я просто очень сегодня устала, а ты, думаю, вообще с ног валишься.

— Ну ладно, моя хорошая, ложись спать, я тоже сейчас лягу, а утром представлю себе, как ты плещешься в море, и мне сразу станет легче. К тебе там еще никто не приклеился?

— Когда? — честным голосом спросила я. — Ты ведь только сегодня улетел (а я уже много чего успела). Котенька, не думай ни о чем дурном, ложись спать и береги себя.

— Для тебя?

— Конечно.

Ну почему, почему так бывает? Годами ничего в твоей жизни не происходит, а потом вдруг события начинают громоздиться одно на другое и только успевай поворачиваться. И все зависит лишь от воли случая. Вот предпочти Дашка Марину Фельдман Марине Воробьевой — и все, мы с Маратом не встретились бы. Не попади Котин зять в аварию, Котя не улетел бы и не было бы этого вечера...

— Мама, я вдруг так захотела спать, просто ужас, ты проводишь папу?

— Детка, я уже ухожу.

— Нет, папочка, ты не уходи, сиди сколько хочешь, а я пойду спать. Спокойной ночи, папочка!

Нежно поцеловав папочку и мамочку, Дашка ушла к себе. И я тут же очутилась в объятиях Марата.

— Пусти, Марат, а вдруг Дашка еще вернется!

— Нет, нет, она не вернется, я не могу, пойдем, пойдем к тебе, скорее...

Я была не в силах противиться ему, но при мысли, что вот на этой самой кровати я позавчера лежала с Котей, мне стало как-то не по себе.

— Нет, Марат, милый, не надо!

— Ну почему, почему? Я так тебя хочу...

— Марат, я не хочу опять наспех, кое-как, вот утром я останусь одна, ты придешь, и у нас будет сколько угодно времени, а сейчас нет, не могу, я устала, пусти!

— Да что же ты со мной делаешь? Ведь утром мы собирались ехать на Мертвое море!

— Приходи утром, а там будет видно, поедем или нет.

— О, тогда черт с ним, с морем, когда мне прийти?

— В десять!

— И ты будешь моя? Как сегодня?

— Лучше, гораздо лучше, согласись, машина не самое удобное место.

Наконец мне удалось его спровадить. Как же я устала.

Проснулась я вопреки обыкновению в половине десятого. И вскочила как ужаленная — через полчаса явится Марат, надо успеть хотя бы душ принять и чуть-чуть подкраситься.

На моей подушке лежала записка:

«Мамуля, ты так сладко спишь, не хочется тебя будить. В холодильнике синий пакет — это вам с папой на дорогу. Кофе в термосе на столе. Счастливой поездки! Целую вас обоих. Д.»

Солнышко мое, обо всем позаботилась, умиленно подумала я, стоя под душем. Большая-большая, а играет в папу-маму, как маленькая. Дочка играет в папу-маму, а папа и мама во что играют, старые дураки? Я вылезла из-под душа, намазала все тело манговым кремом, ведь понятно, что в ближайшие два часа мы никуда не поедем. Надела красивый бледно-розовый халат, привезенный мне из Италии Юриком, и только тут впервые за все это время вообще о нем вспомнила.

Надо же, а ведь столько лет он занимал большое место в моей жизни. И как мне теперь разбираться с этими тремя кавалерами? Ладно, как-нибудь... А сейчас я жду Марата и при чем тут все остальные?.. Так, надо хорошенько причесаться, надушиться «Баленсиагой». Нет, это нельзя, это подло! Ничего, «Кабошар» тоже сойдет. И вот я уже стою у окна и жду. Иной раз ожидание бывает более сладостным, чем само свидание. Но только не с Маратом. У меня даже нет уверенности, что он вообще явится. Он ведь мог, удовлетворив жгучее желание, очухаться и понять, во что он влип — любовница, дочка. Я ведь даже его телефона здесь не знаю. Так, четверть одиннадцатого... С одной стороны, это было бы лучше, я еще не совсем увязла, вот Даша — та, кажется, уже успела полюбить своего папочку, но чем раньше наступит разочарование, тем легче будет его пережить. А в том, что оно наступит, я не сомневалась. Двадцать пять минут одиннадцатого — если через четверть часа он не появится, уйду на пляж и черт с ним совсем. Но тут к дому подъезжает Дашкина машина, и оттуда вылезает Марат собственной персоной. Скорее отойти от окна, чтобы он не видел, как я жду его. Еще раз глянуть в зеркало, чуть встряхнуть головой, чтобы волосы лежали свободнее, и... Звонок. Я открыла и тут же очутилась в его объятиях.

Конечно, с утра мы никуда не поехали, до двух часов провалялись в постели, а потом решили, что сегодня ехать к Мертвому морю уже поздно.

— Я готов целый день провести тут, с тобой, — томно проговорил Марат.

— Нетушки, давай съездим в Национальный парк, на сафари.

— А что там такое?

— Как что? Ты едешь в машине, а кругом гуляют львы и разные другие звери.

— А они нас не сожрут?

— А на кой мы им сдались, они там кормленые.

— Тебе хочется туда?

— Ужасно!

— Раз так — поехали! Только я не знаю, где это, хотя у меня же есть карта, она в машине. Я уже взял Дашину машину, она внизу. Быстро одевайся и поехали.

Марат не хвастался, говоря, что за рулем он ас. Мгновенно сориентировавшись по карте, он за полчаса доставил меня к воротам Национального парка, но сафари уже было закрыто.

— А давай просто погуляем в парке, тут так красиво! — предложила я.

— С удовольствием!

Он взял меня под руку, и мы пошли по дорожкам этого прелестного парка. Светлые полянки, совсем, казалось бы, подмосковные, окружены были пальмами и другими экзотическими деревьями в белом, розовом и красном цвету. Народу в этот час было совсем мало, и мы в расслабленно-лирическом настроении брели по дорожкам, покуда не добрели до большого пруда. Там катались на лодках и водных велосипедах. Мы переглянулись и чуть ли не бегом бросились к пристани. Марат обратился к лодочнику по-английски. Тот развел руками — не понимаю, мол. Тогда Марат стал тыкать пальцем в водный велосипед. Лодочник поднял в ответ один палец и показал на часы, затем три раза поднял обе пятерни.

— Тридцать шекелей в час, — сообразила я.

Марат полез за кошельком, а лодочник согнулся пополам от смеха.

— Что это он? — удивился Марат.

— Нет, ну надо же, первый раз своих не узнал! — хохотал лодочник.— Я думал, вы американцы. Я, видите ли, говорю только по-испански и по-португальски, но здесь, сами понимаете, это никому не нужно. Ну и, конечно, немножко на иврите. А вы, наверное, живете в Америке?

— Да нет, мы из Москвы, — сказала я.

— Гости?

— Гости!

— А я уже шесть лет как из Москвы. Очень хочется съездить, поглядеть, как там все теперь стало, но, как говорила моя киевская бабушка, грошэй нэма.

— Вы не жалеете, что уехали? — поинтересовался Марат.

— С одной стороны, нет, по крайней мере погромов не боимся, хотя арабы тоже не сахар. А с другой стороны, многие себя тут теряют. Я вот окончил МГУ, я испанист, а сами видите, чем тут занимаюсь. А мой дядька, к примеру, в Москве был уважаемый человек, крупный инженер, ему уже шестьдесят лет, так он, извините, туалеты моет. Еще пример — дружок мой был кинооператором, а теперь дворник в Ариэле. Это нормально? Мне-то что, я еще молодой, у меня хоть перспектива есть, а пожилым людям тяжело. Нет, я не скажу, что всем тут плохо, Боже сохрани, есть люди, которые хорошо устроились, особенно в последнее время, когда они продают там квартиры и, приезжая, имеют деньги. Мы же драпанули, как говорится, с одними чемоданами. И все равно мне лично тут неплохо, я даже в Париж съездил на экскурсию и в Испанию. Скажите, а из Москвы я сейчас мог бы туда съездить?

— Запросто, — ответила я, — вопрос только в деньгах.

— Ну, это уже нормально. А вы, значит, сюда приехали? Я так понимаю, простите за нескромность, в свадебное путешествие?

— Да нет, — поспешила ответить я.

— Мы к дочери сюда приехали! — заявил Марат.

— А дочь ваша что тут делает?

— Она вышла замуж, и они уехали сюда.

— И они имеют работу?

— Да, муж у нее музыкант, играет в оркестре, а она работает на компьютере в издательской фирме, — поспешно и с удовольствием рассказывал Марат.

— Ну, тогда я вас поздравляю, у вас взрослая замужняя дочь, а вы сами как молодожены, даже завидно. Знаете что, садитесь и катайтесь на здоровье, я с земляков денег не возьму!

— Нет, так не годится! — возмутилась я. — Это же ваш заработок!

— Ладно, вы хорошие люди, не халявщики, возьму с вас половину, и не возражайте, а то я обижусь. Пятнадцать шекелей, и ни копейки больше! И не думайте о времени, катайтесь сколько хотите, сами видите — народу сейчас мало.

Мы уселись в эту примитивную посудину с педалями и поплыли.

— Как хорошо!

— Да!

— Мне никогда в жизни не было так хорошо, как в эти дни. Теперь и умирать будет не жалко!

— Марат, прошу тебя, не надо этих разговоров.

— Я люблю тебя, ты понимаешь?

— Я понимаю, что тебе сейчас так кажется.

— Нет, не кажется. Ты совершенно верно сказала, что в наших отношениях не было середины, только начало и конец.

— А ты полагаешь, что их можно раздвинуть и впихнуть туда середину? Так не бывает.

— Но ведь можно начать вторую главу?

— Вторую главу? Нет, уж если, то эпилог.

— Не говори так, я люблю тебя, я с ума схожу, я готов на все!

— Иными словами, ты готов на любой подвиг во имя любви?

Но он не услышал иронии.

— Да, на любой! Я приеду в Москву и тут же подам на развод!

— Ну зачем же так радикально?

— Я хочу жениться на тебе и удочерить Дашу.

— Ух ты как размахнулся! А ты меня спросил?

— Разве ты не хочешь? — растерялся он.

— Замуж за тебя? Извини, нет, не хочу. Я вообще не хочу замуж, ни за кого.

— А как же этот, Котя?

— Он поспешил объявить о нашей женитьбе, но практически без моего согласия.

— Значит, ты его не любишь? А меня, меня ты любишь?

— Не знаю.

— Но я теперь все равно не смогу жить по-старому, ведь у меня есть ты и Даша.

— Ну, без меня ты как-то обходился двадцать лет, а Даша... Она так далеко, что просто не может играть в твоей жизни какой-то роли...

— Нет, ты, очевидно, не отдаешь себе отчета в том, что со мной произошло. Я заново родился как мужчина, как человек. Поверь, в моем возрасте это много значит... Когда ты возвращаешься?

— Двадцать третьего.

— То есть через две недели после меня. Я сегодня с утра успел поменять билет и теперь лечу не в пятницу утром, а в воскресенье вечером. Двадцать третьего... Я буду тебя встречать, и мы поедем к тебе. Ты примешь меня?

Так вот почему он опоздал! Кажется, я здорово заигралась!

— Нет, Марат, я тебя не приму. Я, конечно, буду очень благодарна, если ты меня встретишь, ведь самолет прилетает глубокой ночью, и до утра я тебя не прогоню, но...

Мы давно уже забыли про педали, и наше утлое суденышко само по себе покачивалось на воде. Марат обнял меня, заглянул мне в глаза, и всю мою решимость во что бы то ни стало противостоять ему как рукой сняло.

Мы долго еще плавали по пруду. Потом, простившись с симпатягой лодочником, пошли снова бродить по аллеям. Мы даже мало говорили, нам достаточно было просто ощущать друг друга рядом.

— Знаешь, я, кажется, сейчас умру с голоду, — сказал вдруг Марат. — Надо бы спросить лодочника, где тут можно перекусить.

— Ой, я совсем забыла, Дашка же нам с тобой приготовила пакет с едой и термос с кофе, а я, идиотка, все дома оставила! Вот стыдобушка, девочка с утра позаботилась о родителях, а мы... Просто срам!

— Да, нехорошо получилось, ну ничего, мы это на ужин съедим, в знак покаяния. Кстати, Кира, как ты считаешь, удобно будет, если я дам Дашеньке деньги, все-таки лишний человек в доме?

— А что ж тут неудобного?

— И еще мне хотелось бы купить ей что-нибудь, может, какое-нибудь платье или туфли, ну, что там она хочет?

— Это ты у нее спроси.

Интересно, откуда у него деньги? Ну, заплатили ему за лекции, но он как-то уж очень свободно тратит деньги, а ведь наша профессура сейчас чуть ли не самая бедная часть общества.

Он словно угадал мои мысли:

— Я хотел сказать тебе, Кира, ты не думай, что я нищий старый профессор. Дело в том, что я получил очень неплохое наследство от тетки в Дании.

— А ты что, принц Датский? Вот уж не думала, что у тебя не только глаза, но и кровь голубая.

— Ты опять шутишь, а я говорю серьезно. Там была весьма существенная сумма, я разделил ее на четыре равные части, для каждого члена семьи. Жена настаивала, чтобы наша с нею часть была общей, но я словно чувствовал, и уперся. Таким образом, у меня есть деньги. Я в последние годы часто езжу за границу, и так приятно чувствовать себя человеком.

— Интересно, на что ты тратишь деньги за границей?

— Да ни на что особенное. Просто чувствую себя человеком — могу кого-то пригласить в хороший ресторан, купить подарки близким, курить хорошие сигареты. Если нужно, могу взять напрокат машину.

— А на баб?

— Каких баб?

— Ну, на проституток, например?

— Да что с тобой, Кира? Какие проститутки! Во-первых, я боюсь их как огня, а во-вторых, я считал, что давно уже завязал с этим делом. Если бы не ты... Я уже сейчас с замиранием сердца думаю о ночи...

— О ночи?

— Ну да. Неужели ты думаешь, я смогу спать, зная, что ты за стенкой? А ты сможешь?

Он посмотрел мне прямо в глаза, и я конечно же ответила:

— Нет!

— Смотри, Кирочка, кажется, какая-то едальня!

В самом деле, мы обнаружили палатку, торговавшую питой.

Мы подошли. Продавщица тоже оказалась русской. Она настрогала нам горячей индюшатины с громадного вертела, положила ее в разрезанную питу и спросила:

— Вам наполнить или сами будете?

На прилавке стояло штук двадцать стеклянных мисок, в которых чего только не было — и соусы, и овощи, и разные салаты. Ты платишь только за питу и индейку, а всего остального бери сколько хочешь.

— Нет, спасибо, мы сами! — сказала я и принялась накладывать в питы баклажаны, перец, помидоры и еще кучу всякой всячины, а потом полила все это каким-то соусом. Марат с удовольствием наблюдал за моими манипуляциями.

Наконец мы сели за столик и накинулись на еду. Это было страшно вкусно, но перемазались мы отчаянно. Небольших салфеточек не хватило. Мы умирали со смеху, глядя друг на друга. Очевидно, продавщица поняла наши затруднения и принесла нормальные салфетки.

— Вот спасибо! — сказал Марат, благодарно глянув на нее синими глазами, и надо же, эта молодая, от силы лет тридцати, женщина растаяла от его взгляда.

— Ладно уж, пойдемте, умоетесь как люди, а то сразу видно, не умеете вы питу есть, все замурзались!

Она отвела нас в подсобку, где можно было умыться.

Я вышла первой.

— Ой, до чего же у вас мужик интересный! Хоть и пожилой, а глаза — загляденье. И вас, видно, любит, уважительный такой. А дети у вас есть?

— Есть. Дочка.

— И сколько ей?

— Двадцать.

— Это у него, наверное, второй брак, а то вы намного моложе выглядите...

Но тут появился Марат, и она умолкла, умиленно глядя на нас. А потом спросила:

— Вы из Москвы?

— Да, а почему вы так решили?

— Так по говору же слышно. А у вас в Москве питы нет?

— Есть, но просто как хлеб. Теперь приеду в Москву, буду знать, что с ней делать. А почему у вас так мало народу?

— Здесь вообще место не очень бойкое, но все же день на день не приходится.

— А вы сами откуда?

— Я-то? Из Курска. Уже пять лет здесь.

— Скучаете?

— Да как вам сказать, в общем-то нет, вот только у меня там мама с папой похоронены, иной раз сердце зажмет, что ж я их могилки на чужих людей покинула... А так ничего, все нормально.

Мы простились с милой женщиной и двинулись к выходу. Марат обнял меня за плечи, и мы шли медленно, наслаждаясь каждым шагом. На театре говорят «короля играет свита», вот так окружающие играли наш брак — и лодочник, и курянка с питой. Смешно и странно. Наверное, если бы тогда случилось чудо и мы поженились, то, скорее всего, давным-давно уже расстались бы. Впрочем, может, и нет, может, прожили бы счастливо и были бы сейчас действительно дружными супругами, приехавшими навестить любимую дочь... Если бы да кабы, во рту выросли б бобы...

— О чем ты думаешь? — спросил Марат.

— А ты?

— О нас с тобой. О том, как мы будем жить вместе...

— Я не хочу жить вместе!

— Но почему?

— Марат, пойми, мы с тобой уже, мягко выражаясь, немолодые люди со своими привычками и недостатками. Зачем это объединять? Я понятия не имею о семейной жизни, вернее, чисто теоретическое. Я человек свободной профессии, сроду не ходила на службу, не привыкла вставать в определенное время и уж тем более давно отвыкла готовить по утрам завтраки.

— Но ты же растила Дашу?

— А Даша уже с десяти лет вставала сама, ела то, что я готовила с вечера, но зато по воскресеньям она спала сколько хотела, а я подавала ей роскошный воскресный завтрак. Таким образом, каждое воскресенье у нас был праздник, мы завтракали и болтали обо всем на свете.

— Но ты сама ведь ешь что-то по утрам?

— Я? Стакан кефира и, как выражается Алевтина, «овсы».

— Какие овсы?

— Сейчас продают всякие смеси для завтрака — овсянка с изюмом, орехами, яблоками, а то просто завариваю кипятком три ложки геркулеса, добавляю ложку меда — и все дела. А тебе небось подают горячий завтрак.

— Ты еще скажи — в постель, — расхохотался Марат. — Если хочешь знать, кроме творога и какого-нибудь бутерброда, мне ничего не дают. И вообще моя жена плохо готовит. Я вот попробовал твои шедевры... Если бы ты двадцать лет назад так меня накормила, я бы на тебе сразу женился...

— Очень мило!

— Или ты тогда еще так не умела? Ты вообще тогда еще многого не умела из того, что умеешь сейчас! — лукаво взглянув на меня, прошептал он.

А меня бросило в жар! Старая дура!

Наконец мы дошли до машины.

— Марат, а что мы дома скажем, почему не поехали к Мертвому морю?

— Ну не поехали и не поехали, завтра поедем, какая разница.

— Тоже верно. Ребята, вероятно, уже дома.

— Жаль!

— Почему? Ах да, понимаю...

— Ну ничего, мы ночью наверстаем.

— Только чур я сама к тебе приду.

— Почему?

— Потому что твоя комната дальше от Дашкиной спальни.

— Понял. А ты меня не надуешь?

— Это твое обыкновение.

Не доезжая до дома, Марат остановился на какой-то тихой улочке, и мы еще с полчаса целовались в машине.

Когда наконец мы явились домой, там нас уже ждали гости — Вавочка и Стас.

— Кирюха! — заорал Стас, едва мы вошли. — Что ж ты от нас все скрыла?

— Да что я от вас скрыла?

— А что твой сегодняшний кавалер и есть Дашкин папаша!

Я заметила, что Марат был неприятно поражен. Ага, испугался огласки!

— Стас, какой ты бестактный, — одернула его Вавочка, с любопытством глядевшая на Марата. Она ведь ничего не знала ни о нем, ни о том даже, что у меня родилась дочка. К тому времени мы с нею уже не встречались. А Стас одно время примыкал к нашей халястре и конечно же слышал про роман века.

— Мама, почему вы не взяли ни кофе, ни бутерброды? А как тебе Мертвое море? — накинулась на меня с вопросами Дашка.

— Да мы туда не ездили, завтра утром поедем.

— Почему?

— Папа твой решил задержаться на два дня и поехал менять билет.

— Вот здорово! До чего ж я рада! А где же вы были?

— В Национальном парке.

— На сафари?

— Нет, там было закрыто, просто погуляли по парку, покатались на водном велосипеде.

— Вы голодные?

— Нет, мы питы наелись.

— Фу!

— Ничего не «фу»! Очень даже вкусно! Правда, Марат?

Он посмотрел на меня, и в этом взгляде было столько любви, что Дашка сразу это приметила и тут же глянула на меня, надеясь, что уж на моей-то физиономии она все прочитает. Но не тут-то было. Я быстро отвернулась и ушла в ванную. Потом кто-то предложил сыграть в карты. Дашка, Марат, Вавочка и Стас решили расписать пульку. Даня спросил, не помешает ли нам, если он немного позанимается. Таким образом, я вдруг осталась ни при чем. Что ж, тем лучше, пойду немного полежу.

— Мамуля, ты не обижаешься? Мы можем и не играть!

— Да, Кирочка, если ты против...

— Играйте на здоровье, а я полежу, что-то ноги устали...

Я пошла к себе, прилегла и мгновенно уснула. Проснулась я оттого, что кто-то тряс меня за плечо.

— Мама! Мама! Вставай скорее! Алевтина звонит!

Я вскочила как ужаленная. Не дай бог у Алевтины что-то стряслось! С чего бы ей звонить в будний день?

— Алло! Аля! Что случилось?

— У меня-то ничего, а вот что с тобой?

— А что со мной? — ошалело спросила я, еще не окончательно проснувшись.

— Мне вчера ночью позвонила Любка. Ты что там вытворяешь? Любка в ужасе, говорит, ты совсем свихнулась, шляешься по ночам с этим старым паршивцем, наплевала на хорошего человека, глаза, говорит, полубезумные, горят, как у кошки, вид неприличный, — короче говоря, тебя надо спасать. А как тебя, дурищу, спасать на таком расстоянии, скажи на милость? Я вот на работе осталась, звоню за счет родной организации, чтобы мозги тебе вправить. Ты чего молчишь?

— А ты мне не даешь слова вставить.

— Вставляй, если можешь. Или, скажешь, Любка врет?

Интересно, как я буду ей что-то объяснять в присутствии всей компании? К счастью, шнур у те-

лефона был достаточно длинный, и я ушла с ним к
себе.

— Ты чего там затихла?

— Я перешла в другую комнату, теперь могу
говорить.

— Давай говори!

— Аленька, я так счастлива!

— Господи, Кирюшка, но ведь это плохо кончится!

— Нет, это просто кончится, ни хорошо ни
плохо, кончится, и все. Через неделю он уедет — и
баста! Ты не представляешь, какой дивный день я
прожила сегодня, и не хочу, не могу ни о чем думать,
я люблю его, и он меня любит...

— Ясный перец! (Алевтина обожает молодеж-
ный жаргон.) Любовь до гроба, дураки оба! Он,
конечно, уже тебе с три короба наплел — разведет-
ся, женится, удочерит Дарью?

— Вообще-то да.

— И ты, коровища, поверила?

— А вот ничуточки.

— Тогда в чем дело?

— В любви.

— Опять двадцать пять. А что с этим Котей?

— С Котей? А что с Котей? Я его люблю.

— Час от часу не легче!

— Пойми, Аля, Котя — это еще будущая любовь, там все неизвестно. А Марат — прошлая, тут,
наоборот, все известно, и от этого, может, еще слаще.

Я не могу, я схожу с ума, я умираю от одного его прикосновения.

— И все-таки собираешься с ним расстаться?

— Да, я за эту неделю проживу все, что не прожила тогда, а он все равно неизбежно слиняет. И мне от этой уверенности даже легче.

— Что-то ты парадоксами заговорила. Делай, конечно, как знаешь, только смотри потом не рви на себе волосенки.

— Я и делаю это, чтобы потом не рвать на себе волосенки. Алька, подумай, встретить человека, о котором столько лет мечтала, и отказаться от такого счастья? Разве я могу?

— Ну, подруга, ты просто бредишь, говорить с тобой бесполезно, и зря тратить деньги родной организации я не намерена. Резюмирую — все не так уж плохо. У тебя буйное помешательство, а это как раз излечимо! Ну, пока, да, кстати, ты когда прилетаешь?

— В ночь с двадцать третьего на двадцать четвертое.

— Тебя встречать?

— Не надо, меня Марат встретит.

— Ах вот как, интересное кино! Пока, подруга, целую.

— Пока!

Так, подруги подняли международный переполох. Я вышла в столовую. Они все еще играли, а Даня в спальне терзал виолончель.

— Ну раз вы меня бросили, — сказала я, — схожу-ка я к Любе.

Они были так заняты игрой, что не обратили внимания на мои слова, только Марат вскинул на меня удивленные глаза, но ничего не сказал. Я позвонила Любе. Ее не оказалось дома. Так, чем же заняться? Я взяла альбом и попыталась нарисовать жанровую картинку — игра в преферанс. С этим я справилась довольно быстро. А теперь хорошо бы набросать портрет Марата, но, едва я взялась за него, они кончили играть.

— Все, хватит, — решительно сказал Марат.

— Да, уж если мама вечером взялась за альбом, значит, она не знает, куда себя девать, и ничего хорошего все равно не нарисует, — со знанием дела сказала Дашка. — Прости, мамуля, но я так давно не играла! А сейчас давайте пить чай!

Мы долго чаевничали, болтали, было очень уютно и мило.

— Мам, а чего Аля опять звонила?

— Да ничего особенного, спрашивает, можно ли давать Жукентию сырую рыбу.

— А кто такой Жукентий? — заинтересовался Марат.

— Это мой кот, я ужасно по нему скучаю, даже руки тоскуют, так хочется его тиснуть.

— Он у тебя пушистый?

— Слегка. Он черно-белый, не очень крупный, а душа...

Дашка рассмеялась:

— Мама так его обожает, что я даже иногда ревную. А душа у него и правда удивительная — когда мы с мамой, бывало, ругались, он начинал метаться между нами, мяукать, как будто говорил: «Перестаньте ссориться!» — и это было так смешно, что мы сразу мирились. Если мама иногда плакала, он ей слезы слизывал, а когда она чихала, он бежал из любого конца квартиры с громким мявом, словно говорил: «Будь здорова!» Я могла чихать до второго пришествия — ноль внимания, а мама тихонько чихнет — и он уже мчится к ней. Мама его во дворе нашла, принесла домой, он был маленький и весь в блохах. Она его положила на письменный стол и стала выбирать у него блох, тогда еще никаких этих средств не было. Так потом он бегал за ней и показывал, где у него блоха.

— Это как же? — удивилась Вавочка.

— Он бежит за ней и кричит, старается привлечь внимание. Мама спрашивает: «Жукочка, что такое?» А он ложится, например на спинку, лапку переднюю поднимает, а под мышкой у него блоха сидит.

— Кирка, так и живешь с блохастым котом? — брезгливо спросил Стас.

— Да нет, это у маленьких легко блохи заводятся, а потом он подрос, стал чистый, красивый.

— Ты его часто моешь? — спросил Марат.

— А зачем его мыть? Он сам моется, он чистюля, мой Жукентий, родненький, как я по нему соскучилась!

— А что за имя такое странное — Жукентий?

— Сначала я хотела назвать его Марлоном, в честь Марлона Брандо, но как-то на Брандо он не тянул, тогда я назвала его Любимом, кот Любим, разве плохо? Но не прижилось. Дашка стала звать его Зулей, а от Зули уже пошли всякие ласкательные — Зука, Жука, и Жука пристало к нему. А уж Жукентий — это его полное имя. Жукентий Мурашов.

— Кирочка, а ведь когда мы с тобой познакомились, у тебя тоже был кот, и, кажется, тоже черно-белый?

— Да, Чоня.

— Это что же, в честь частей особого назначения? — осведомился Стас.

— Отнюдь, это от Чебурашки. Ну, тот был безумный весельчак. Жука у меня кот лирический, а Чоня был буйный. Все бил, колошматил, лазил по всем пальто на вешалке, прыгал сверху на гостей и вообще вытворял черт-те что. Помню, стою я как-то на кухне, посуду мою и вдруг слышу страшный грохот. Смотрю, это Чоня с буфета «Спидолу» сбросил, я кинулась ее поднимать, и тут мне в голову полетела какая-то миска. Это все он, Чоня!

— Ну, мамуля, завелась! Знаешь, папа, мама про кошек может целый вечер рассказывать.

— Я ее понимаю. У меня у самого был когда-то кот, с которым я играл в футбол. Я бросал ему теннисный мячик, а он, как вратарь, его ловил.

— Кстати, Дарья, почему это ты живешь без кошки? — спросила я.

— Данька не хочет, говорит, что лучше уж взять собаку и что с него вполне хватает Любимого Шмулика.

Вот так мы скоротали этот вечер. Наконец гости ушли.

— Завтра с утра едем на Мертвое море, — сказал Марат.

— А сколько туда езды? — спросила я.

— Часа полтора.

— Тогда нет, с самого утра я сбегаю на пляж, искупаюсь как человек в живом море, а уж потом поедем на Мертвое. А то сегодня я осталась без купания.

— Мама, на Мертвом море есть что-то вроде аквапарка, там и бассейн, и горки, можно прекрасно искупаться.

— Аквапарк аквапарком, а Средиземное море я ни на что не променяю.

— Ну ладно, раз ты так настаиваешь... — согласился Марат и взглянул на меня с мольбой.

— Ну, ребятки, давайте ложиться, а то я что-то с ног валюсь, хоть и поспала немножко.

— Да, мамуля, ты права, уже поздно. Папочка, я тебе диван разложила, а то там узко, постель постелила. Тебе одной подушки хватит?

— Конечно, хватит, деточка, спасибо! Вот только дай мне на ночь стакан воды.

— Просто воды? Или, может, соку?

— Можно и соку.

Дашка побежала на кухню, а Марат быстро прошептал:

— Ты скоро придешь?

— Не раньше чем через час.

— Почему так долго?

— Пусть ребята уснут.

— А если я тоже усну? Ты меня разбудишь?

— Можешь быть уверен!

Не знаю, как я прожила этот час! Я долго стояла под душем, очень долго расчесывала волосы, выбирала ночную рубашку, хотя выбор был не такой уж большой. Обычно я сплю в ситцевых, но про запас у меня всегда есть какая-нибудь нарядная шикарная рубашка, как говорит Лерка, «парадно-кадрильная» — мало ли что может случиться в жизни. А сюда я взяла аж две таких рубашки, сама не знаю почему. Нежно-голубую с розовыми прошвочками и черную с большим декольте и пеньюаром. Нежно-голубая мне нравилась больше, но Марат мужчина примитивный, и на него черная, пожалуй, произведет большее впечатление. Интересно, а какая понравилась бы Коте? Нет, определенно сегодня нужна черная, еще и из-за пеньюара, а то вдруг я столкнусь в коридоре с Дашкой или Даней? Не дай бог! Дашка сразу сообразит что к чему, а мне бы очень не хотелось, чтобы она догадалась, что я сплю с ее папочкой.

Наконец час прошел. Я накинула пеньюар и на цыпочках вышла из комнаты. Сердце у меня замирало, как будто я шла на дело! Легонько толкнув дверь, я вошла к Марату. Он сидел в кресле в одних трусах и тут же вскочил мне навстречу.

— О, да ты совсем как в голливудском фильме! — шепотом воскликнул он. — Потрясающе! — Он снял с меня пеньюар. — Какое декольте!

Я была права!

Марат тихонько подталкивал меня к дивану, я присела на краешек, легла и подвинулась к стенке. Марат, мгновенно скинув трусы, бросился ко мне, и тут... Под его тяжестью диван накренился, и мой возлюбленный со страшным грохотом рухнул на пол.

— О черт!

— Ты ушибся?

— Да нет, не очень.

Умирая от смеха, я вскочила с окаянного дивана и заперла дверь. Очень вовремя, ибо буквально через секунду раздался стук в дверь и Дашкин голос:

— Папа, что случилось?

— Да ничего, Дашенька, все в порядке, я просто не сразу справился с диваном. Не беспокойся, иди спать.

— Ой, я забыла тебя предупредить, что нельзя садиться на край с размаху. Прости ради Бога.

— Да ничего, ничего, я уже лежу, все в порядке, — заявил Марат, сидя нагишом на полу.

А я корчилась от смеха. Ничего себе картинка могла бы представиться взору дочки! Когда Дашка наконец ушла, Марат заявил:

— Больше я на этот окаянный диван не лягу! Пойдем в столовую, там было так хорошо утром.

— Ты с ума сошел! Столовая — проходная комната!

— Тогда идем к тебе!

— Ни за что!

— А как же быть?

— Значит, не судьба, — поддразнила я его.

— Ах не судьба? Тогда мы сейчас так поступим! Он стащил с дивана одеяло, схватил с кресла плед, расстелил все это на полу и, как был, голый, выскочил на галерею. Вскоре он появился с моим одеялом и подушкой в руках. И как это я, дура, не сообразила, что можно пройти через галерею! Еще минута, и мы уже лежали на одеялах на каменном израильском полу. Но какое это имело значение!

Утром, пока все еще спали, я побежала к морю, а когда вернулась, дети еще не ушли.

— Мамуля, ты так крепко спала, не слышала, как папа упал?

— Папа упал? Откуда? — спросила я и наклонилась, словно вытряхивая песок из туфли.

— Да ладно, нечего дискредитировать отца,— притворно возмутился Марат.

— Кстати, папа, вам по дороге, подбросьте Даньку, ему сегодня надо попасть в одно место, а он опаздывает!

— Конечно, мы через минуту будем готовы! — поспешила ответить я.

У Марата вытянулось лицо, он, вероятно, надеялся опять задержаться дома.

Наконец мы сели в машину, отвезли Даню, и

теперь нам уже ничего не оставалось, как действительно ехать к Мертвому морю. Даже дорога туда уже казалась мертвой, по обеим сторонам шоссе высились песчаные спекшиеся горы.

Мертвое море мне решительно не понравилось. Вода в нем — сплошная соль с глицерином. Малейшую царапинку сразу начинает щипать, окунуться толком невозможно, вода выталкивает. Берег каменистый — острая галька, без толстых резиновых шлепанцев, которыми нас снабдила предусмотрительная Дашка, мы бы и к воде не подошли. Народу прорва. После купания в этой воде необходимо принять душ, а то тело покрывается липко-соленой пленкой. Вода в душе ледяная. Короче говоря, вскоре мы уже плескались в бассейне аквапарка. Не Средиземное море, но все-таки лучше Мертвого.

— Кира, ты ведь хотела рисовать!

— Нет, я буду работать, когда ты уедешь. Ты слишком меня отвлекаешь!

Вот так и проходил день за днем, ночь за ночью. Марат купил Дашке прелестный костюм и красивые туфли. Она была на седьмом небе. Еще бы, подарок от папочки! А в среду под вечер я вдруг вспомнила:

— Дашка, а как же вторая часть дня рождения? — Откровенно говоря, меня эта перспектива ужасала. Какие-то совсем чужие люди, суета вместо размеренно-любовной жизни. Да и сколько ее оставалось, этой жизни?

— Знаешь, мамуля, мне что-то не хочется, папа

так скоро уезжает, я лучше чего-нибудь навру, отложу на две недели, а там и вовсе замотаю.

Умница моя!

— Все равно один вечер нам с Данькой придется потерять, никуда не денешься, завтра день рождения у их дирижера и мы не можем не пойти.

— В таком случае надо купить еще и платье! — заявил вдруг Марат.

— Нет, папа, зачем, у меня есть что надеть.

— Папа сказал надо, значит, надо! Но раз вы нас бросаете, то я приглашаю маму в ресторан, а по такому случаю маме тоже надо купить новое платье.

— Это еще зачем?

— У тебя есть вечернее платье?

— Нет, и оно мне глубоко не нужно.

— Кира, пожалуйста, позволь мне купить тебе платье!

Как ему хочется тряхнуть мошной!

— Кирочка, пойдем с нами в магазин и выберешь платье по собственному вкусу, а то я куплю сам и это будет ужасно!

— Ну что с тобой делать, пойдем, — согласилась я, решив, что буду выпендриваться, отвергая одно платье за другим. Не хочу я от него подарков. Пусть лучше купит еще что-нибудь Дашке.

Она привела нас в хороший дорогой магазин и прямиком направилась к вешалке, где висело очаровательное темно-розовое платье. Видно, она еще раньше на него положила глаз. Платье было тут же куплено. Дашка сияла.

— Ну, Кира, что же ты, выбирай!

— Что-то я здесь ничего для себя не вижу. И вообще, я вспомнила, есть у меня вечернее платье, думаю, оно тебе понравится. Ладно, пошли отсюда.

— Кира!

Дашка удивленно смотрела на меня. К ней подошла продавщица и что-то спросила на иврите. Дашка залопотала в ответ, продавщица смерила меня профессиональным взглядом, решительно шагнула к вешалке и сняла платье, при виде которого у меня закружилась голова. Темно-зеленое, все словно бы состоящее из каких-то неровных лоскутов струящегося шелка.

— Мама! — всплеснула руками Дашка. — Ты просто обязана это примерить.

Так и быть, примерю! Дай бог, чтобы не подошло!

Я вошла в примерочную, разделась и дрожащими руками натянула на себя платье. Еще только взяв его в руки, я знала уже, что оно создано специально для меня, но когда я глянула в зеркало... Оттуда на меня смотрела какая-то незнакомая, загадочная женщина с зелеными мерцающими глазами. Да! Таких платьев у меня сроду не было! Но при моем домашнем образе жизни куда я его надену? Разве что на Новый год. А впрочем, с Котей теперь моя жизнь изменится. Что? С Котей? Я что, пойду куда-нибудь с Котей в платье, которое мне купил Марат? Никогда! И я уже хотела снять волшебное платье, но соблазн показаться в нем Марату был слишком велик... И я вышла из примерочной.

— Боже мой! — воскликнул Марат. — Это невероятно!

— Мама! Какая ты красивая! Тебе никогда ничего так не шло!

— Вы находите? — дрожащим голосом спросила я.

— Да тут и думать нечего, покупаем! — заявил Марат.

— Но это же, наверное, страшно дорого...

— Ничего, один раз за двадцать лет можно и дорого заплатить, — хорохорился Марат.

Я вернулась в примерочную. Платье было божественное.

Даже снимать жалко.

Наконец мы вышли на улицу.

— Ну, девочки, давайте посидим где-нибудь в кафе, а то Кира какая-то совсем пришибленная.

А я просто мучительно раздумывала о том, какие же туфли надеть к этому платью. Придется, видно, опять просить у Дашки ее черные босоножки. А вдруг они ей самой завтра понадобятся? Хотя нет, она же наденет розовое платье и, скорее всего, с новыми туфлями. И куда это, интересно, он хочет меня пригласить, если понадобилось вечернее платье?

— А еще говорил, что не тратишься на баб, — шепнула я, когда Даша заговорила с официанткой.

Марат расхохотался.

Мы пили кофе «капучино» и ели вкуснейший

фруктовый торт — на тоненьком слое нежного теста
свежие фрукты в желе. Потом Дашу кто-то окликнул, и она, извинившись, отошла к другому столику.
А мы сидели молча, не сводя друг с друга глаз. Он
взял мои руки и стал поочередно целовать. И я вдруг
поняла: вот этот миг — счастье. Не знаю почему
этот, а не другой, все эти дни и ночи были вроде бы
заполнены счастьем, но я точно знала, что никогда
не забуду этого мига в кафе на тель-авивской улице.
Груз захлестнувших меня чувств был так велик, что
минутами мне уже хотелось, чтобы Марат уехал,
хотелось осмыслить все это на свободе. Вдруг краем
глаза я заметила, что Дашка стоит и смотрит на нас.
Мы очнулись, Дашка села за столик, но ничего не
сказала. Лицо у нее было смятенное.

Дома Марат прилег отдохнуть, Дани не было, и
Дарья явилась ко мне в комнату поболтать.

— Мама, ты его любишь, и не пытайся отрицать,
я это сегодня своими глазами видела.

Я промолчала.

— Мама, он ведь очень-очень тебя любит, так,
может быть... мама?

— Данечка, ты чего хочешь?

— Я хочу, чтобы вы были вместе.

— А Котя?

— Мамочка, но он ведь чужой, а папа... это папа.

— Ох, Котя-то как раз и не чужой, не знаю, как
тебе это объяснить... С Котей я сразу почувствовала,
что он мне родной, а Марат... это совсем другое, это

скорее попытка догнать свое прошлое, эдакий мажорный аккорд в финале.

— В финале чего?

— Нашей с ним дурацкой истории.

— Но вы же влюблены как ненормальные. И ты с ним спишь, я знаю.

— А ты меня за это осуждаешь?

— Что ты, мама, конечно нет. Но от вас искры сыплются. Это за версту видно. И потом, папа мне сказал — он уже все решил, он уйдет из дома к тебе, он без тебя жить не может и хочет меня удочерить.

— Дашенька, деточка моя, ну поверь ты своей глупой матери — не будет ничего этого, он сейчас действительно очень влюблен, влюблен и в меня, и в себя, и в эту ситуацию, а как приедет домой — охолонет, так все и кончится. Я-то хоть отдаю себе в этом отчет, а тебе, Данечка, может быть очень и очень больно.

— Мама, как ты можешь так думать, ведь ты влюблена в него как сумасшедшая! И потом, он такой добрый, веселый, щедрый!

— Ой, Дашка, Дашка, что мне сказать тебе на это? Да, я влюблена в него, конечно, тут и спорить нечего, но это как... Ну представь себе, ты приехала в незнакомую страну, попробовала какие-то экзотические фрукты, и тебе кажется, что ничего вкуснее ты в жизни не ела. И вот, пока ты там, в этой стране, ты стараешься наесться этими фруктами до отвала, понимая, что вряд ли еще когда-нибудь их попробуешь. А потом ты уезжаешь и прекраснейшим образом обходишься без этих фруктов. Только вспоминаешь иногда — да, это было вкусно! Вот так и наша любовь с Маратом здесь, в Израиле. Надо уж наесться друг другом до отвала, а там...

— А там?

— А там нас с тобой отсекут, моя девочка. Это неизбежно.

— Но почему?

— Знаешь эту песенку — «Как-то боязно, что-то лень»? Он старый, Дашенька, он лет сорок прожил с женой, у него налаженная жизнь, а привычка, поверь, может победить любую любовь, особенно в его возрасте. Это сейчас он на подъеме, а потом одно заболит, другое, и привычная манная каша покажется куда вкуснее любых экзотических плодов.

— Но он говорит, что никогда не любил жену.

— Ну и что? Он прожил с ней сорок лет, да и вообрази, какой поднимется скандал — а его жена, насколько я знаю, дама в высшей степени скандальная, — он может просто не выдержать этого. Ну да бог с ним. Кстати, Даша, а что с коврами, ты уже раздумала учиться?

Дашка залилась краской:

— Нет, что ты, но просто мне как-то неудобно в этой ситуации.

— В какой?

— Ну, когда ты с папой...

— Глупости какие! У тебя хорошие руки, ты отлично вяжешь, у тебя есть вкус, вполне могла бы освоить это дело. Впрочем, тебе самой решать, но уж как минимум позвонить Вере ты обязана. Она к тому же очень интересный человек, эта Вера. А папа твой тут абсолютно ни при чем. Так же, как и я. Это дело только твое и ее.

— Ой, мама, ты у меня камень с души сняла! Я только очень тебя прошу, давай сейчас ей позвоним! Сперва ты поговори, а потом уж я...

— Ох, Дарья, взрослая дама, берешься решать судьбы родителей, а позвонить сама не можешь! Да ладно, позвоню, заодно узнаю, как там дела у Коти. Он что-то пропал...

— Мамочка, милая, прости ради бога, он вчера вечером звонил, но вас не было, вы поздно пришли, и я забыла. Ну, мамуля, не сверкай на меня глазами, я признаю свою вину. У него все более или менее нормально.

— Ты же знаешь, как я ненавижу необязательность! Ну ладно, прощаю!

Я набрала номер Веры. Она почти сразу сняла трубку.

— Кира! А я уж решила, что ты обо мне забыла!

— Верочка, я просто закрутилась. Как там дела в Москве? Меня вчера не было, когда Котя звонил.

— Да там, насколько я понимаю, было больше перепугу. То есть Федор, конечно, пострадал, у него двойной перелом ноги, но жизни ничто не угрожает, вполне могли бы обойтись и без Коти, просто Наденька, видно, очень растерялась.

— Вера, вот тут дочка моя, дуреха, стесняется сама вам звонить, так что передаю ей трубку. А впрочем, знаете что, я, пожалуй, тоже с ней к вам подъеду, можно?

— Кира, что за вопрос!

— Тогда, может, сразу договоримся на понедельник? Раньше у нас не получится, а в понедельник Даша кончает работу в четыре и мы вместе к вам приедем.

— Чудесно, буду ждать, испеку пирог, только не обманите старуху!

Почему я назначила эту поездку на понедельник? Чтобы не было времени тосковать по Марату? А разве я собираюсь по нему тосковать? Я ведь стала такая умная, рассудительная — и опять буду тосковать по Марату, как втайне тосковала двадцать лет? Как это скучно... Надо бы позвонить Коте, подумала я, и тут же подошла к телефону. Но его не оказалось дома, и к лучшему, мне трудно было бы сейчас говорить с ним.

В четверг в середине дня Марат куда-то исчез, вероятно ездил заказывать столик на вечер.

Дашка, прибежав с работы, затараторила:

— Мамуля, как ты думаешь, в чем мне пойти — в розовом платье или в костюме?

— Разумеется, в розовом платье, папа тебе его специально купил, и он обидится, если ты наденешь что-нибудь другое.

— Но ведь костюм тоже папа мне купил!

— Детка, по-моему, этот костюм скорее для другого случая, а тут день рождения, платье как-то уместнее.

— Ты считаешь?

— Да.

Дети были званы к семи часам, Марат должен был отвезти их, а потом заехать за мной.

И вот мы уже входим в дорогой загородный ресторан на берегу моря. Нас проводят к столику на двоих, стоящему на открытой террасе у балюстрады. Вечер теплый, на столике цветы и свечи в стеклянных колпаках. Народу немного, все в высшей степени шикарно. Впрочем, и я в своем зеленом платье чувствую себя почти королевой.

Когда мы сели, я рассмеялась.

— Чему ты смеешься?

— Знаешь, у нас с тобой все происходит, как в плохом романе. Та давняя встреча на балу, потом Иерусалим, дочь, о которой ты не знал, и вот теперь прощальный ужин в шикарном ресторане. Я такое разве что в кино видела.

— Это потому, что ты обозначила только вехи, а то, что между ними, — проза, серые, скучные будни. Я говорю о себе, у тебя жизнь совсем другая, вы, люди искусства...

— Марат, ради Бога...

— Я знаю только одно и только об одном могу сейчас думать — как мы будем жить вместе. Я прекрасно представляю себе, что поднимется дома, когда я скажу обо всем, и вполне понимаю, что не выйду из этого боя невредимым, но цель того стоит. Пусть даже этот бой сократит мои дни, но, ей-богу, лучше прожить два-три года с тобой, чем влачить убогое существование еще лет десять. И я не желаю ничего слушать о прощальном ужине, он вовсе не прощальный, будем считать этот ужин нашей помолвкой!

Здрасьте, я ваша тетя! Вторая помолвка за неделю — круто, Кира Кирилловна!

— Марат, что ты несешь, какая помолвка!

— Ну позволь мне помечтать, как мы будем жить с тобою. Хочешь, уедем жить за границу. Моих денег вполне хватит, чтобы купить скромный домик или квартиру где-нибудь, где ты захочешь, и спокойно прожить несколько лет. Давай я все брошу к чертям, мы уедем и будем жить друг для друга. Твоя работа ведь не требует постоянного присутствия в Москве. Будем жить где-нибудь у моря, вдвоем, ездить к Дашеньке, разведем кошек, ты будешь рисовать и заниматься домом, а я садом, обожаю возиться в саду. Подумай, это может быть райская жизнь...

Он говорил так страстно, так убедительно, глядя мне в глаза, что я совершенно ошалела.

— А первое апреля будем праздновать или у нас, или в Тель-Авиве, но непременно вчетвером!

Мы пошли танцевать, и Марат, крепко прижимая меня к себе, продолжал нашептывать мне весь этот сладостный бред.

Мы вернулись за столик, нам подали что-то неимоверно изысканное из лангустов или чего-то в этом роде. Марат продолжал расписывать прелести нашей будущей жизни, и я вдруг поддалась магии его голоса, этой ночи, этого ужина, этого платья... Чем черт не шутит! Разве могла я, собираясь в Израиль, даже отдаленно предположить, что в моей жизни может случиться такой вечер, и с кем, с Маратом!

— Ты согласна, скажи, скажи мне, да? Да?

— Ну, если все так... то...

— Значит, ты согласна! Давай же выпьем за это, любовь моя!

И мы пили, ели, танцевали, говорили о будущем, решали, где будем жить, и я уже видела наш маленький дом на берегу моря, видела, как я стою у плиты, готовя для любимого мужа что-то очень вкусное, а он в толстом синем свитере возится в саду, потом мы вдвоем обедаем, потом едем на машине за чем-то в ближайший городок... Марат пил мало, а я все пила какое-то божественное белое вино и хмелела не только от него, но и от ощущения собственной красоты и неотразимости под взглядом этих любящих синих глаз.

— Марат, любимый, неужели все это наяву...

— Да, моя девочка, судьбе было угодно...

— Суженого конем не объедешь, да?

— Да, да, еще не поздно, еще все будет...

Наконец, совершенно счастливые, мы стали спускаться по ступенькам ресторана и... Проклятый каблук за что-то зацепился и с громким треском сломался пополам. Хорошо еще, Марат крепко держал меня, а то бы я свалилась. Я мигом протрезвела. Конечно, это судьба опять предупреждает меня. Счастье еще, что каблук, могла бы и ногу сломать, уж так я занеслась... Марат присел на корточки, чтобы расстегнуть ремень на босоножке, а я посмотрела вниз, на его, как раньше писали, апоплексический загривок, на поредевшие волосы, вспомнила, сколько ему лет, и с той же живостью, с какой только что видела семейную идиллию у моря, увидела его таким, каким он может мне достаться после всех битв, то есть попросту руиной. Я, конечно же, со всей страстью примусь за реставрацию, но увы, увы, увы... Вот такие не слишком веселые и не слишком благородные мысли посетили меня, покуда мой герой расстегивал босоножки. Поделом тебе, Кира, нечего носить каблуки, которые тебе уже не по возрасту. Один раз, с Котей, сошло, а второй раз, с Маратом, нет. Упоенное настроение улетучилось полностью, осталась только противная мысль: как дойти до машины — и ногам больно, и колготки жалко.

— Постой тут, я сейчас! — сказал Марат и бросился на стоянку. Вскоре он вернулся с парой толстых резиновых шлепанцев, в которых мы шкандыбали по берегу Мертвого моря. Ну что ж, лучше, чем ничего, пожалуй, даже идеально в сложившихся обстоятельствах. Во всем этом мне виделось что-то символическое. На высоких каблуках с Маратом в эмпирее, каблук ломается, но все не смертельно, шлепанцы под рукой. Котя... Это что же, я Коте отвела роль шлепанцев? Ах, боже мой, пусть уж лучше все будет по-прежнему — приходящий раз в неделю Юра и спокойное одиночество в другие дни. По крайней мере, до сих пор меня такая жизнь устраивала. Иными словами, если вспомнить опять Цветаеву, то «ох вдоль пахот» мне куда ближе, чем «ах с эмпиреев».

— Девочка моя, ты расстроилась из-за туфель?

— Да нет, просто протрезвела. И спустилась с небес на землю. На земле оно как-то привычнее, и каблуки не ломаются.

Когда мы приехали домой, там тоже бушевали страсти. Дашка ссорилась с мужем. Уж не знаю, чем провинился Даня, но от него только пух и перья летели, разумеется в переносном смысле.

— Молодежь, что тут у вас? — спросил Марат.

Дашка с рыданиями бросилась ему на шею.

— Данила, в чем дело? — тихо спросила я зятя. Он был сильно пьян, я никогда его таким не видела.

— Ваша дочь... ваша дочь... — дрожащими от злости губами заговорил он.

— Мама, не смей с ним разговаривать! Если бы ты знала...

— А я и так знаю, я вам как по книжке все сейчас расскажу.

Все трое удивленно уставились на меня.

— Даня приревновал Дашу, был ли повод, не знаю, но приревновал. Они начали ссориться, слово за слово, и Даня, как нормальный зять, во всем обвинил тещу, хотя вообще-то он к ней неплохо относится. Он заявил, что чего можно ждать от дочери, если у нее такая... ну, скажем, легкомысленная мать. Верно?

Дашка и Марат вылупили на меня глаза, а Даня покраснел как маков цвет.

— Кира Кирилловна, да я...

— Ты, Даня, на днях сказал, что, глядя на меня, радуешься, что женился на Дашке. Только имей в виду, Дашка — может, матери и не стоило бы так говорить — очень красивая женщина, и если ты будешь ревновать ее к каждой паре брюк, то очень скоро можешь ее потерять. Что касается меня, то я, вероятно, не самая добродетельная теща, и, кстати, не сомневаюсь, что дражайшая Генриетта Борисовна, ах, пардон, Етта, тебя на сей счет предупреждала. Кроме того, задевать сейчас, в такой непростой ситуации, какая у нас сложилась, Дашкины дочерние чувства, по меньшей мере глупо, впрочем, все мужчины толстокожие и недалекие существа в том, что касается женских чувств! И ты, Дарья, тоже дура, нечего рыдать, надо в таких случаях просто дать сдачи! — Меня уже несло по кочкам. Марат совершенно ошалел. — Данила, ты не думай, что я на тебя обиделась, да ни капельки, для женщины моего возраста это комплимент, учти на будущее! Дашка, как он меня называл? Блядью, шлюхой, потаскухой? Как бы ни назвал — все верно, верно!

— Кира! — вскричал Марат.

— Да, я потаскуха, да, ну и что? А кто в этом виноват? Ты, и только ты!

— Боже мой, мама, да ты же пьяная!

— Да, пьяная, да, потаскуха! Кому какое дело до моей добродетели? Мне сорок семь, дочь замужем, могу делать что хочу, захочу спать со всеми подряд и буду! И никто мне не указ! Я сама себе хозяйка! А чего это у вас у всех такие постные рожи? Это что, общественное презрение? А я плевать хотела, понятно?

— Папа! Что это? Я никогда ее такой не видела!

— Папа! Папа! Что он понимает в жизни, твой папа! А в любви? Да ни хрена! Он вообще, если хочешь знать...

— Ну хватит! Кира, идем! Даша, возьми мой пиджак и принеси ее халат!

С этими словами он потащил меня в ванную.

— Дурак, пусти меня! — вопила я.

— Тихо, что ты так развоевалась? Ну успокойся, приди в себя, умой-ка лицо холодной водой, сразу станет легче. Погоди, давай сперва снимем платье, вот так, молодец; а теперь умоемся...

— Нет, пусти меня, не хочу, не желаю!

— Чего ты не желаешь, дуреха моя? — очень ласково произнес Марат, открыл воду и, когда я хотела вырваться из его рук, решительно сунул мою голову под кран. Я взвыла. Но он крепко держал меня, а я рыдала, икала, захлебывалась водой и слезами, изнемогая от жалости к себе. Но мало-помалу холодная вода сделала свое дело, и я затихла. — Вот и умница, вот и молодец. — Марат накинул мне на голову полотенце и закрыл кран. — Боже мой, на кого ты похожа, посмотри!

Я глянула в зеркало — по щекам текли черные ручьи, под глазами было черно, помада размазалась вокруг рта, словом, чучело чучелом, и от ужаса я снова зарыдала, но уже тихо.

— Дурочка, совсем как маленькая. А я и не заметил, когда ты успела так надраться! Ну не беда, давай умойся сама тепленькой водичкой, смой эту гадость, ну вот, хорошо, совсем другое дело. Вот, опять моя девочка красивая, даже еще красивее без этой краски.

Он вытирал мне волосы, гладил меня, и я постепенно успокоилась.

Когда мы вышли из ванной, дети с перепуганными лицами, забыв о своих ссорах, сидели на кухне. Дашка вскочила.

— Мамуля, садись!

— Кира Кирилловна, простите меня.

— Да ладно, все мы хороши... вы тоже меня простите, я, кажется, перепила немножко...

— Немножко! — хмыкнула Даша.

— Вот была бы у вас кошка, ничего бы этого не было! — заявила я.

И все с облегчением расхохотались.

В пятницу все было тихо и мирно. В субботу тоже. Настал наш последний вечер. Мы с Дашей расстарались, приготовили роскошный ужин и сидели довольно долго. Марат был в ударе, разливался соловьем, рассказывая, как мы с ним поженимся и уедем куда-нибудь к морю, как будем навещать ребят в Тель-Авиве, как они будут приезжать к нам. Дашка сияла, глаза у нее горели. Даня слушал не без интереса, а я сидела молча и уже не могла включить-

ся в эту игру. Я знала, что это конец. Потом ребята
деликатно куда-то смотались, оставив нас вдвоем.

— Любимая, пойдем, наше ложе ждет нас!

Мы за это время вполне освоили коварный диван.

А у меня не было сил встать. Ведь пойти сейчас
к нему — значит, начать последнюю, теперь уже
самую последнюю ночь.

— Нет, давай еще немножко посидим тут.

Я все смотрела на него и не могла наглядеться.
Как я любила это немолодое лицо, эти дивные глаза.
Он осунулся за последние дни — еще бы, такие
любовные подвиги ему уже явно не по возрасту. Ну
что ж, еще одна ночь, и он будет отдыхать от этих
трудов уже всю оставшуюся жизнь.

— Кира, милая, идем!

— Иди, я сейчас приду.

Он ушел, и слышно было, как он торопливо
раскладывает диван. А я все сидела в полном изне-
можении.

— Девочка, что с тобой? — Он подошел ко мне,
заглянул в лицо. — Отчего ты такая грустная? Ты
мне не веришь?

— Нет, не верю.

— Ну как мне убедить тебя? — Он сел рядом,
обнял меня. — Хочешь, я поклянусь своими детьми?

— Ой, нет, не надо!

— Хорошо, тогда просто поверь мне, вот возьми
и поверь! Ты думаешь, я струшу, да? Пойми, дурочка моя, я теперь боюсь только одного — потерять
тебя снова, а все остальное мне не страшно. Подумай

сама, чего мне теперь бояться? Скандалов? Так я их
столько пережил, что еще один, пусть и грандиозный,
меня уже не испугает. В институте теперь никому нет
дела до личной жизни преподавателей, к тому же я
давно хочу уйти оттуда. Средства у меня есть. Дети
мои взрослые, устроенные, зачем я им нужен? Имущество делить с ними я не буду, оставлю все, так
чего же мне бояться, скажи на милость? Я почти
старик, прожил пустую, тоскливую, безлюбую
жизнь, и вдруг мне улыбнулось такое счастье! И ты
думаешь, я теперь убоюсь какого-то скандала?

Он говорил так убедительно, так по-преподавательски логично и проникновенно, что хотелось ему
поверить, наплевать на все и поверить. Ну а вдруг?
Вдруг он и в самом деле решится на этот шаг? Но
что-то мешало мне поверить. И он это видел.

— Я понимаю, ты однажды обожглась и теперь
дуешь на воду. Но ведь прошло двадцать лет, выросла девочка, прелестная, красивая, умная, моя
дочь. Ты думаешь, это мало для меня значит?

— Ладно, Марат, давай сделаем так — ты по
приезде не заявляй с места в карьер о своем решении,
подожди, поживи дома, подумай, прикинь все как
следует, а то если ты сразу скажешь, надо сразу и
уходить, а куда ты денешься, пока меня нет? Поэтому, если к моему приезду ты своего решения не
изменишь, то жди меня ночью в Шереметьеве. Кстати, я могу рассчитывать, что ты в любом случае меня
встретишь? Не хотелось бы там куковать до утра.

— Любимая моя, никакого любого случая не

будет и быть не может, я тебя встречу, и мы поедем домой. К нам домой. А в твоем совете не говорить об этом сразу есть свой резон. Я только не уверен, что смогу часто тебе звонить, ты это понимаешь?

— Понимаю. Но ты действительно меня в любом случае встретишь?

— Ну неужели я брошу мою девочку ночью в аэропорту с вещами?

Я посмотрела ему в глаза. Глаза были такие честные, любящие, красивые. Как не поверить им?

— Ладно, идем.

Этой ночью мы почти не спали. После бурных ласк долго еще лежали обнявшись, словно боялись, что стоит нам отдалиться друг от друга хоть на сантиметр, и это расстояние превратится в неодолимую пропасть.

— Любовь моя, ты плачешь?

— Нет, с чего ты взял?

— А у тебя все лицо мокрое и соленое. Не надо, прошу тебя, не плачь, все у нас будет хорошо, не может быть, чтобы судьба не вознаградила нас за то, что мы двадцать лет берегли нашу любовь.

— Ты и вправду думаешь, что любил меня?

— Разве ты сама не видишь?

— Но ведь ты это понял только здесь, когда мы встретились, да?

— Нет, я уже говорил тебе, что просто...

— Просто отсек меня за ненадобностью.

— Отсек? Откуда ты знаешь это выражение, я, кажется, ни разу его не употребил?

— От Воли. Он мне еще тогда сказал, что ты меня отсек.

— Ах, все не так, все не то... Я полюбил тебя с первой минуты, с первого взгляда, но никак не мог поверить, что и ты полюбила меня, мне казалось, не может такая молодая и красивая полюбить меня. Я грешным делом думал — тебе от меня что-то нужно, может, ты хочешь выйти за меня замуж, чтобы стать профессорской женой...

— Боже, какой идиот!

— Да, полный и беспросветный идиот, приходится признать. Но кругом было столько подобных историй, а я в то время еще думал о карьере — развод и неминуемый скандал положили бы ей конец.

— А что же ты не сделал этой своей карьеры, которой принес меня в жертву? Проректор, насколько я понимаю, не такая уж недосягаемая высота.

— Да нет, проректор по науке — это в моем случае всего лишь представительская должность, не более того... И потом, я, честно скажу, вообще не карьерист. Это жена все подгоняла меня, подхлестывала мое честолюбие.

— Не хочу говорить о твоей жене. Лучше скажи мне, неужто за все эти годы тебе ни разу не захотелось снять трубку и позвонить? Просто так...

— Если бы ты знала, сколько раз я подавлял это желание в первые годы, а потом... потом я решил, что ты давным-давно и думать обо мне забыла. Но теперь все в прошлом, теперь мы вместе, и я счастлив, по-настоящему счастлив. Когда я думаю, что мог не поехать на эту экскурсию, меня прошибает холодный пот. Ведь я мог умереть, не зная, что такое счастье с женщиной, что такое любовь, страсть наконец! Скажи мне, девочка моя, а у тебя... у тебя за эти годы было много мужчин?

— Были. А кому я должна была хранить верность?

— Но почему ты не вышла замуж?

— Не случилось. Да и не всякий Дашке в отчимы годился.

— А этот, Котя?

Вот только этого мне и не хватало — обсуждать Котю в постели с Маратом.

— Я не хочу говорить о Коте. Лучше ты мне скажи, неужто за всю жизнь ты только со мною и изменял жене?

— Да нет, было несколько раз, но как-то мельком, по пьянке, без особого удовольствия, в основном в командировках. Но постоянной связи не было никогда. Меня всегда держали в такой узде...

— И думаешь, теперь тебя легко отпустят?

— А от меня больше нечего ждать! Выше проректора я уже не прыгну. Наследство я получил и разделил поровну. На дачу и квартиру посягать не собираюсь, возьму только машину. Дети более чем взрослые. Мы с женой уже лет десять спим в разных комнатах. Деньги я по нынешним временам получаю очень небольшие. Ну так что с меня взять? Зачем за меня держаться?

— Какой же ты все-таки наивный, Марат! А

положение? Женщина привыкла быть замужем, и вдруг ты ее бросишь. Вот это сильнее всего ее и уязвит.

— Да она меня ни в грош не ставит.

— Это пока ты есть.

— Любимая моя, не будем терзаться этими мыслями, зачем портить последние часы? Скажи лучше, ты любишь меня?

— Люблю, да, конечно, люблю, но не верю.

— Девочка моя, милая, любимая, какую же рану я тебе нанес, если за столько лет не затянулась... Прости, прости меня грешного, и поверь — сколько мне осталось прожить, я буду с тобой, до последнего вздоха, если... если ты сама этого хочешь. Может, ты просто не хочешь быть со мной и потому говоришь, что не веришь мне? — Он вдруг зажег свет на столике. — Дай мне заглянуть в твои глаза, скажи правду: ты не хочешь быть со мной, я слишком стар для тебя, ты предпочитаешь этого Котю, да? Нет, вижу по твоим глазам, что ты меня любишь, а не его. Ведь твои глаза врать не умеют, такие красивые, любимые глаза, такие зеленые...

Утром мы, конечно, встали вконец разбитые. Марат пошел проститься с друзьями, а я как потерянная бродила по квартире. Подумать только, неделю назад, в прошлое воскресенье, улетел Котя, и за эту неделю я прожила целую жизнь с другим человеком — счастливую, неимоверно счастливую жизнь, — и вот она подошла к концу. А что, если он и в самом деле бросит семью и уйдет ко мне?

Здесь мы были вырваны из жизни, а в Москве как будет? Ведь это не просто взять чемодан и уйти на другую квартиру. Кто-то из его друзей не примет меня, кто-то из моих — его. Он лелеет мечту уехать за границу. Но ведь это легко сказать, а сделать куда труднее. А я, разве я смогу бросить Москву, подруг, привычную жизнь? Да, но зато я буду с ним, с Маратом, с отцом моей Дашки, которого она так полюбила! Неужели это возможно?

Тут зазвонил телефон. Междугородный. Нет, не буду брать трубку. Наверное, это Котя. Как мне говорить с ним? Котя, Котя, зачем ты уехал? Как легко и хорошо мне было с тобой. Никакой тяжести, никаких счетов, никакого надрыва. Господи, да я же рвусь на части! Что же мне делать, с кем посоветоваться? Да с кем бы я ни советовалась, все, кроме Дашки, скажут, что я последняя дура, если хочу ставить на Марата. Я и сама это понимаю. Но...

Вскоре вернулся Марат, а за ним и Даша — ее отпустили пораньше, чтобы она могла проводить отца. Даня провожать Марата не поедет, сегодня вечером у него концерт в Ашкелоне. Началась обычная предотъездная суета, потом мы обедали втроем, Марат и Даша напоследок наслаждались друг другом.

И вот мы уже в аэропорту. Все формальности выполнены, и мы сидим втроем за столиком в кафе.

— Папа, а когда вы с мамой опять приедете?

— Может быть, даже этой осенью.

— Вот было бы здорово!

— Мама вернется в Москву, и я займусь разводом, много времени, я думаю, это не потребует, потом мы как можно скорее поженимся и будем подыскивать для себя какой-нибудь домик в Испании или Португалии.

— Нет, совсем без зимы я не могу, — вдруг вырвалось у меня.

— Но мы же не будем порывать с Москвой. Часть года будем жить в Москве, а часть, к примеру, в Португалии, чем плохо? А потом, может, и Дашу с Даней заберем отсюда, если они захотят. Короче говоря, будем жить как нормальные свободные люди. И у тебя будет настоящая мастерская, а я буду выращивать для тебя цветы какие захочешь и никогда не буду покупать тебе мороженого...

Мы рассмеялись, и тут объявили посадку. Пора было прощаться. Дашка повисла на шее Марата и со слезами целовала его. Я ждала своей очереди. Наконец она оторвалась от него, и он шагнул ко мне.

— Любимая моя, без долгих слов — до встречи в Шереметьеве в ночь с двадцать третьего на двадцать четвертое!

Он обнял меня, и мне вдруг показалось, что все это может быть. А почему бы и нет, ведь была же эта неделя, лучшая в моей жизни, так почему бы не сбыться всему остальному?

Мы долго и отчаянно целовались, вероятно, со стороны это выглядело смешно, уж больно мы с ним немолоды для таких прощаний, но какое нам дело до всех?

— Девочки мои дорогие, мне пора! — со вздохом сказал Марат и стал подниматься по ступенькам.

— Мамочка, — проговорила Даша и всхлипнула. — Как жалко, что он уезжает, я так его полюбила! Неужели ты ему не веришь, мама?

— Да Бог его знает, я что-то в растерянности... Бывают же чудеса на свете. Я как-то вдруг в это поверила.

— И я ему верю! Он так тебя любит, весь светится, когда на тебя смотрит. И мне кажется, что он был всегда, с самого детства. Какое счастье, что вы встретились! Я тебя тоже никогда такой не видела.

Мною вдруг овладело лихорадочное возбуждение. Я поверила! Уж не знаю, Марату или судьбе, вдруг повернувшейся ко мне лицом. Наверное, судьба испытывает меня — окажусь ли я верной своей любви.

— Знаешь, Данечка, давай поедем к Любе, ведь мы же с ней ни разу даже как следует не потрепались.

Люба была мрачна.

— Ну, проводила своего недопеска?

— Любашка, ты чего такая свирепая?

— Да с Шацем опять поцапалась. Это же немыслимый характер. Все время лезет на баррикаду, причем с утра на одну, а вечером на другую.

— То есть?

— Ну, утром все в Израиле говно, а вечером

наоборот. Это ж с ума сойти можно. И потом, только я за порог, он хватает гитару и начинает записывать на магнитофон свои песнопения. Лиза на стенку лезет, и я ее понимаю. Ты же это слышала! Да ладно, бог с ним, ты-то как, жива?

— Да не очень.

— И что теперь будет?

— А я знаю?

— Ну все же?

— Жениться хочет.

— Марат?

— Ну да. Жениться и жить половину времени в Москве, а половину где-нибудь за границей.

— Это на какие же шиши?

— А он наследство получил. В Дании.

— От Гамлета, что ли? Нет, скорее от Клавдия. А всего вернее — от Андерсена, такой же сказочник!

— Любашка, он не такой уж плохой, мой Марат.

— Мой бедный богатый Марат!

— Любонька, ну коли уж я его простила, прости и ты.

— Щас! Разбежалась!

— Любка, а помнишь, как ты на меня ногами топала, когда я с Юриком связалась? А мы с ним худо-бедно семь лет прожили.

— Это называется прожили? Раз в неделю он к тебе ходит, ты его поишь-кормишь, а он даже гвоздя вбить не может, что от него толку-то?

— А вот когда Дашка уехала, знаешь как он меня поддерживал, как был ко мне внимателен!

— Его, надо полагать, теперь на помойку?

— А тебе его жалко?

— Ничуточки. Жалко мне, если хочешь знать, тебя, дуру, и Котю, бедолагу. Слушай, Кирка, можешь ты мне, в твоих же собственных интересах, пообещать одну вещь?

— Смотря какую!

— Не сообщать заранее Коте о своих матримониальных планах с Маратом? Вот приедешь в Москву, поглядишь, что к чему, а там уж и скажешь, коли все обернется по-твоему. Обещай мне, ладно?

— Ладно!

— Поклянись!

— Вот еще!

— Нет, поклянись, причем Дашкой!

— И не подумаю!

— Кирка, если ты поклянешься Дашкой, я буду знать, что ты слово сдержишь, что бы там ни было. А нет, так сразу все и выложишь Коте при первой возможности. Подумай, голова садовая, ведь больше ты такого Котю не встретишь, а Марат твой в любой момент может тебя кинуть. Давай клянись!

— Клянусь!

— Нет, не так! Скажи: клянусь Дашей, что пока ничего Коте не скажу! Повторяй!

И я повторила эту дурацкую клятву, хотя вера в будущее с Маратом с каждой минутой крепла во мне.

...Утром я сбегала на пляж, а когда вернулась, раздался телефонный звонок. Котя.

— Кузенька, наконец-то я тебя застал! Ты там без меня что-то загуляла!

— Да уж, пустилась во все тяжкие! Сегодня, например, мы с Дашей едем к Вере.

— Вот умницы девочки! Старушка будет рада!

— Котя, а как там дела у твоего зятя?

— Да в общем неплохо, поправляется помаленьку, а я, Кузечка, в понедельник улетаю в Америку до двадцать седьмого. Ты уж вернешься к тому времени?

— Да, Котя, я хотела тебе...— Я уже собралась сказать ему, что выхожу замуж за Марата, но вовремя вспомнила о дурацкой клятве, которую с меня вчера стребовала Любка, и прикусила язык.

— Кира, ты, кажется, хотела мне что-то сказать? Что-то плохое, да?

— Котя, откуда такие мысли? — бодреньким голоском воскликнула я.

— А там этот синеглазый часом не перебежал мне дорогу?

— Он уехал, Котя.

— Когда?

— Да уж три дня назад,— соврала я.

— И что?

— Ничего.

— А с Дашей?

— С Дашей у них полная любовь.

— А с тобой?

— Котя!

— Ну, хорошо, хорошо, не буду. Значит, до встречи в Москве?

— Да.

— Ты хоть немножко скучаешь по мне?

— Очень! — вполне искренне ответила я.

— Родная моя, я просто с ума схожу от тоски и ревности.

— Не надо сходить с ума, зачем ты мне сумасшедший нужен?

— Тоже верно. Ты, как всегда, права! Целую тебя, моя хорошая. И жду не дождусь, чтобы ты вспыхнула, а я ахнул. До свидания, любимая!

— До свидания, дорогой!

Самое интересное, что мне было ужасно приятно с ним разговаривать, он был родной, как это ни дико. А Марат — нет, не родной. Слишком уж тут пылали страсти.

И вот наконец потекла та самая жизнь, которую я и представляла себе, собираясь в Израиль. Мы с Дашей съездили к Вере, и она взялась учить мою дочку. Они весьма понравились друг другу. После моего отъезда Дашка будет по субботам ездить на машине в Реховот. А я обзвонила всех знакомых, съездила в Иерусалим с Вавочкой и Стасом, который великолепно знал город и со страстью показывал его мне. Потом мы еще раз ездили туда, уже с заездом в Вифлеем. Я много рисовала, стараясь забыть о

Марате. Мои друзья из Хайфы, Нина и Виктор, возили меня в Галилею, Самарию, на Генисаретское озеро и даже в Эйлат, где я купалась уже в Красном море. Я наслаждалась покоем, этой удивительной страной, так восхищающей туристов и так порой разочаровывающей эмигрантов. Побывали мы с Дашкой и в пардесах — апельсиновых и грейпфрутовых рощах, где в апреле рвали с деревьев апельсины. Правда, потом нам сказали, что это опасно, там часто прячутся арабы, но с нами, слава Богу, ничего не случилось. Свозили меня и на так называемые «территории», где за десять лет на голых камнях евреи построили изумительной красоты поселки. А в последние дни перед отъездом я бегала по магазинам, покупая подарки в Москву. Алевтине — блузку, она теперь деловая женщина и для нее теперь чем больше блузок, тем лучше. Лерке, конечно, папку, она их обожает. Юрику... нет, стоп, Юрику ничего, он не проводил меня, и вообще... А Марату? Марату синюю летнюю рубашку. А Коте? И Коте куплю точно такую же, у него глаза серо-голубые, ему пойдет. Чтобы никого не обидеть! Да, но если Марат все-таки состоится, то при чем здесь Котя? Ну ладно, значит, у Марата будут две одинаковые рубашки. Или у Коти... Как же стыдно, я Котю словно про запас держу, на всякий случай, а какой там случай может быть — если Марат бросит меня снова, я больше никогда никому не поверю. Даже Коте. Сложнее всего купить подарок Ваське, у этой прекрасной дамы есть все. А, знаю! Она обожает комнатные цветы, привезу ей какой-нибудь диковинный маленький цветок. Вопрос только в том, как его спрятать. Ничего, что-нибудь придумаю. Я уезжаю только через пять дней, а мне уже несут письма в Москву и маленькие передачки. Еврейская почта! На это я отвела целую сумку, но больше ни грамма не возьму. Что я, лошадь? Сюда перла четыре сумки и обратно тоже попру черт-те сколько. Себе я тоже тут кое-что купила, да еще надо взять для подружек чего-нибудь вкусненького, местного. Хумус, например! Да, вещей набирается прорва, да еще мне надарили всякой всячины! Как все это уложить? Но Лиза меня успокоила.

— Не волнуйся, — сказала она. — Я тебе так все уложу, что сможешь впихнуть еще пол-Тель-Авива!

Марат звонил довольно часто, шептал в трубку нежные слова, говорил, что уже не в силах ждать, что собирает потихоньку свои бумаги, что отремонтировал машину, чтобы ехать за мной в Шереметьево, а я таяла от звуков его голоса и с каждым днем все больше верила своему неслыханному счастью. Я летала как на крыльях, а Люба, глядя на меня, вздыхала:

— Надо же, как повезло этому недопеску! Но какие же мы, бабы, дуры! Он тебя бросил с дочкой на двадцать лет, а потом появился, сделал жалкие глаза, и ты ему все простила! А я вот все равно не верю ему, хочешь — обижайся на меня, но не верю!

Что-нибудь он в последний момент устроит, какую-нибудь пакость!

— Какую пакость?

— Понятия не имею, только чувствую в нем пакостника! Кирка, если все будет по-твоему и вы поженитесь, обещаю публично принести ему свои извинения. Да что там, даже если он просто встретит тебя — клянусь, не пожалею денег, позвоню ему и попрошу прощения.

— Ну ты и пессимистка!

— Зато ты оптимистка ненормальная!

— Нет, Любка, я правда верю, что все будет хорошо!

— Может, и будет, да только без Марата!

— Но почему? Он мне все время звонит, ждет не дождется, он любит меня, понимаешь, любит!

— Поживем — увидим.

Зато Дарья ликовала. Еще бы! Папочка звонит, ждет мамулю, скучает по дочке. Идиллия!

— Знаешь, мама, у тебя лицо такое просветленное! И потом, ты так хорошо здесь рисуешь! Это вдохновение, да?

— По всей вероятности!

Как ни странно, мне и самой очень нравились мои рисунки, как будто любовь водила моей рукой.

Накануне отъезда мне устроили отвальную. Я ничего этого не хотела, но Дашка с Лизой поставили меня перед свершившимся фактом — они все приготовили сами. Пришла Люба с семейством, Стас с Вавочкой, и еще приехали Нина с Виктором. Пили, ели, шумели. А я уже мыслями была в Москве.

Что-то там ждет меня? Неужели Марат? Как все это будет? Смогу ли я жить с ним под одним кровом? Как сложатся его отношения с Алевтиной? Вот не сложились же у меня отношения с ее английским супругом.

— Мурашка! — обратилась ко мне Вавочка и отвела меня в сторонку. — Скажи, Мурашка, это правда, что Марат Ильич Дашин отец?

— Правда.

— И вы действительно двадцать лет не виделись и встретились только тут?

— Тоже правда.

— А за кого ты замуж выходишь?

— Сама не знаю, Вавочка.

— То есть как?

— А вот так! Собралась было за одного, а теперь, похоже, выйду за другого!

— Ну и дела!

— Ох, не говори! Как в моем любимом «Мистере Иксе» поется — «невеста я, сама не знаю чья»!

— И ты еще шутишь!

— А что ж мне, плакать? Ты же знаешь, Вавочка, я оптимистка! Как бы там ни было, все хорошо кончится!

— По-моему, ты не столько оптимистка, сколько авантюристка, — заключила Вавочка. — Это ты в свою маму, я хорошо ее помню, в ней тоже авантюрная жилка была. Помню, как она меня курить учила. Заведи, говорит, металлическую коробочку с крышкой. Как кто к тебе сунется, ты туда сигарету спрячешь. Очень было удобно.

302   Екатерина Вильмонт

— По-твоему, это авантюризм? А по-моему, просто безобразие.

— Тебе хорошо говорить, ты никогда не курила.

— А мне этого не запрещали, вот я и не курила. Неинтересно, незапретный плод. Я Дашке тоже ничего не запрещала, и, как видишь, хорошая девочка выросла.

— Да, она у тебя прелесть! А мой сын остался в Германии, не пожелал сюда ехать, и, наверное, правильно.

— Жалеешь, что сюда приехала?

— Нет, ни минуты, мне в Германии что-то не жилось. И еще я здесь Стаса встретила, последнюю любовь!

— Почему последнюю?

— Ну, не все же такие прыткие, как ты, Мурашка! Кстати, опять твою маму вспомнила. Помнишь, как мы все ужасались, что Варька замуж за кого-то не того вышла? А твоя мама сказала: «Подумаешь, не навек же!» Меня это просто потрясло тогда. Вот и ты такая же! Сама не знаю, за кого замуж выхожу, это ж надо! Ой, Мурашка, хорошо, что мы все-таки встретились в этой жизни!

— Дай бог, не последний раз, Вавочка!

И мы обнялись.

Наконец все ушли, Даня лег спать, и мы остались вдвоем с Дашкой. Вавочка, разумеется, перемыла часть посуды, но и нам кое-что осталось. Мы возились вдвоем на кухне, а потом, когда все было убрано, сели за стол выпить по чашке чаю.

— Ох, мама, как жалко, что ты уезжаешь, я опять так к тебе привыкла!

— Данечка, солнышко мое!

— А может, правда приедете с папой осенью?

— Если с папой, то вполне возможно, а если без папы, то вряд ли — денег не наскребу. Но через год — в любом случае. Думаешь, мне легко оставлять свою единственную дочку?

— Мамуля, неужто ты еще сомневаешься в папе? Ведь он сегодня звонил.

— Сказать по правде, почти уже не сомневаюсь, только боюсь поверить в такое счастье.

— Мама, скажи, ты все эти годы его любила?

— Ох, Дашка, и любила, и ненавидела, и забывала, и опять любила, короче говоря, эта рана не заживала, а вот была ли это любовь или уязвленное самолюбие, не могу точно ответить.

— Но ведь когда вы здесь встретились...

— Да, здесь у нас появилась возможность прожить непрожитое, и нас как магнитом потянуло друг к другу. Он ведь очень привлекательный, твой папа.

— Да, я тоже это вижу и не могу понять, как он прожил такую жизнь.

— А он человек инертный, женился по указке мамы, жил по указке жены...

— Вот и отлично, теперь он будет жить по твоей указке!

— Думаешь, будет?

— Обязательно, мамуля. И знаешь что, я ужасно хочу приехать на вашу свадьбу!

— Дашка, вот было бы здорово! На дорогу я тебе денег наберу.

— Только ты папе ничего не говори, с деньгами как-нибудь устроимся, пусть для него это будет сюрпризом! Я приеду тайком от него, переночую у Иришки и явлюсь прямо в загс, с цветами, представляешь? — захлебывалась от восторга Дашка. Она обожала всяческие сюрпризы. — Правда это будет здорово? Вот папа обрадуется!

— Надо думать!

А почему бы и нет, может, все еще так и будет? Чем черт не шутит!

Утром я побежала в последний раз искупаться в море, бросить монетку, купить последние сувениры. А когда я пришла домой, явилась Лиза упаковывать мои вещи.

— Не знаю, Лизаня, по-моему, все это никуда не влезет! — ужаснулась я, увидев, сколько всего предстоит упаковать.

— Влезть-то влезет, главное, чтобы перевеса не было, — сказала благоразумная Лиза. — По-моему, у Дашки где-то был безмен. Давай на нем все взвесим!

Я пошла искать безмен, а Лиза взялась за упаковку. Делала она это гениально и в результате все прекрасно уместила в две сумки. Третья была уже заполнена еврейской почтой.

— Ну вот, а ты боялась. Одна сумка совсем

свободная! И никакого перевеса. Полетишь как белая женщина, без багажа!

— Здорово! А то я всегда как вьючная лошадь. Но ты забыла про мои альбомы, их я в багаж не сдам.

— А они очень тяжелые?

— Ничего, своя ноша не тянет!

Тут примчалась Дашка, а вслед за нею и Люба. Мы простились с Лизаней, даже чуток всплакнули, и она убежала к своему сынку. А Любка заявила, что непременно поедет меня провожать.

Мы пообедали и стали собираться. Тут примчался запыхавшийся Даня, схватил бутерброд и потащил вещи в машину.

— Ну что, присядем на дорожку?

Мы присели.

— С Богом!

Едва мы вышли из квартиры, я сказала:

— Девочки, спускайтесь, я сейчас!

Я вернулась и зашла в комнату, где жил Марат. Присела на злосчастный диван и прижалась щекой к подушке — мне казалось, она еще хранит его запах. Если все будет хорошо, через несколько часов я буду с ним. Пора ехать.

— Мамочка, если бы не папа, я бы сейчас слезами умывалась, но теперь я знаю, мы скоро увидимся, да?

— Да, моя деточка.

— Это каким же образом? — заинтересовался Даня.

— Мы с мамой решили, что я полечу к ней на свадьбу! Здорово, правда?

— Охо-хо, — тяжело вздохнула Люба. В отличие от меня она всегда была пессимисткой.

И вот наконец последние объятия и поцелуи. У всех нас, кроме Дани, глаза на мокром месте.

— Как я тебе завидую, Кирка, летишь в Москву! Ладно, передавай там привет всем нашим, Альку с Васькой особо поцелуй. — Потом она шепнула мне на ухо: — Ты клятву сдержала?

— Да! — твердо ответила я.

— Слава Богу!

Мне давно уже пора идти, но Дашка в последний раз кидается в мои объятия.

— Мамулечка, позвони мне утром, ладно?

— Обязательно, деточка, обязательно позвоню!

В самолете рядом со мной оказалась старая еврейка, ни слова не знавшая по-русски, мы с нею только вежливо друг другу улыбались. И хорошо. Мне сейчас совсем не хотелось разговаривать с чужим человеком. Ведь через несколько часов для меня начнется новая, незнакомая жизнь. Какой она будет? И сколько ее будет, этой жизни? Ему ведь уже седьмой десяток. Но я сделаю все, чтобы ему было хорошо со мной, я буду следить за его здоровьем, я прекрасно умею ухаживать за больными... И пожалуй, нам действительно лучше куда-нибудь уехать, чтобы привыкнуть друг к другу вдали от всех и вся. Наверное, лучше всего пока поехать в Германию. У меня там есть близкие друзья-немцы, я по-

звоню им, попрошу прислать приглашение и подыскать нам квартирку где-нибудь в Бонне или побли-
зости. Я неплохо говорю по-немецки, там мы сможем
спокойно оглядеться, поездить, присмотреть какой-
нибудь домик у моря... Сердце вдруг обрывается —
неужели все это будет? Я достаю из сумки пачку
фотографий, которые только вчера получила в фото-
ателье на тахане мерказит. Вот Марат с Дашей возле
машины, а вот он один на пляже — синее море,
синяя рубашка, синие глаза... А вот мы с ним дома,
сидим за столом, и он смотрит на меня с восторгом
и любовью...

И вдруг меня охватывает такое жгучее нетерпение, что, кажется, я сейчас сойду с ума. Сколько еще
лететь? Полтора часа? Невыносимо. А самое ужас-
ное будет в Шереметьеве — пока пройдешь паспортный контроль, получишь багаж, пройдешь таможню... Какой ужас быть уже на московской земле
и еще не знать, что тебя ждет... Или не ждет... Нет,
это невозможно... Я снова смотрю на фотографию за
столом. Конечно же, он ждет меня. Ждет. Не может
быть никаких сомнений. От ужасного волнения я
заснула и проснулась, уже когда самолет пошел на
посадку.

Разумеется, я простояла почти час в очереди на
паспортный контроль, и это глубокой ночью. Зато
багаж получила на удивление быстро. Тележка мне
не досталась, и я поволокла свои сумки к очереди на
таможню. Я чуть не лопнула от нетерпения, стоя в
этой очереди и подталкивая ногами сумки. Какие-то

люди, встречающие, толпились за воротами. Я пристально вглядывалась, но от волнения ничего не видела.

И вот наконец таможенник отпускает меня. Я хватаю сумки и выволакиваю за воротца. Народу немного. Марата я пока не вижу. Сердце падает. Не паникуй, говорю я себе. Он мог задержаться на парковке, мог подойти к другим воротцам, мог, наконец, просто отлучиться по нужде. Проходит пять, десять, пятнадцать минут. И вдруг я понимаю — он не приехал. Просто взял и не приехал. Не решился сказать мне в лицо, что отказывается от меня. На это у него не хватило сил, и он предпочел кинуть меня тут одну, с вещами, глубокой ночью. Меня охватывает такое отчаяние, что я с трудом держусь на ногах.

— Что с вами? Вам плохо? — спрашивает какая-то женщина.

— Нет, ничего, спасибо.

Ну что, оптимистка, получила по кумполу? А Дашка, что будет с нею, когда она узнает? Все, больше никаких мужиков, ни новых, ни старых, хватит! Только бы домой добраться без потерь. Я вспоминаю все ужасы, которые рассказывают о таксистах в Шереметьеве, но что же мне делать, как быть? Таксиста тоже еще надо найти. И вдруг я вижу, как по полупустому в этот час залу задумчиво бредет итальянская кинодива. Она явно кого-то ждет.

— Васька! — ору я. — Васька!

Кинодива поднимает глаза и бросается ко мне.

— Васька, ты меня встречаешь?

— Нет, мне мама ничего не сказала. Мы с Игорем тут друзей провожали. Но почему же ты не сообщила, что прилетаешь? Ой, что с тобой такое? Ты заболела? Кира, Кира, почему ты плачешь? Что-то случилось? С Дашкой? Кира, ну пожалуйста, скажи, в чем дело?

— Васька, Васенька, какое счастье, что ты тут! А где Игорь?

— Сейчас придет, он каких-то знакомых встретил. Кирочка, почему ты не позвонила, ты же знаешь, я всегда... Игорь, Игорь, иди скорей сюда!

— Кира, вы откуда? — изумленно спрашивает он. — А почему вы плачете?

— Игорек, милый, это я от радости, что вас встретила, а то каково бы мне тут одной с вещами ночью...

— Но почему же вы не предупредили? И теща ничего не сказала.

— Ладно, потом все выясним. Бери вещи и пошли, — командует Васька.

Большой, добрый, с глазами и ресницами восточной красавицы, Игорь подхватывает мои неподъемные сумки как пушинку и спешит к машине. Васька обнимает меня, и я рыдаю у нее на груди. Это — родное. Ну как не быть оптимисткой, когда в такую кошмарную минуту совершенно случайно в Шереметьеве оказываются родные люди, готовые и помочь и утешить? Эта мысль помогает мне взять себя в руки и даже улыбнуться. Улыбка, вероятно, вышла жалкая, потому что у Васьки кривятся губы и она сама вот-вот разреветься.

— Васенька, — говорю я уже в машине, — ты не знаешь, Жука еще у мамы или она его уже ко мне отнесла?

— Понятия не имею, мама там со своим Смирновым, я ее и не вижу почти.

Как мне хочется домой, к Жуке. Даже Алевтину не хочу сейчас видеть, добраться бы до постели, прижать к себе Жуку, чтобы он запел, замурлыкал, и заснуть, а потом проснуться, как будто ничего этого не было. Чтобы жить дальше, надо навсегда забыть эту историю с Маратом, отсечь... А вдруг с ним что-то случилось? Вдруг он заболел, попал в аварию, мало ли что бывает! Но как узнать? Посвятить во все Волю? Ни за что, он такой бестактный! Я сама позвоню, утром позвоню ему домой. И если услышу его голос, значит, он меня просто предал. А если нет, попрошу его к телефону, — интересно, что мне скажут. Правильно, дождусь девяти утра и позвоню. А потом уж буду решать, как жить дальше. И, оставив себе этот жалкий клочок надежды, я немного успокоилась.

— Смотри-ка, мама еще не спит! — воскликнула Васька, подъезжая к нашему дому. Действительно, Алькино окно на первом этаже светилось. И мне вдруг до боли в груди захотелось ее увидеть.

— Я сейчас постучу ей в окошко, а ты с Игорем поднимайся пока к себе, — распорядилась Васька.

Игорь довел меня до квартиры, подождал, покуда

я открою дверь, но у меня так дрожали руки, что ключ не попадал в замочную скважину. Тогда он решительно отобрал у меня ключи, отпер дверь, внес вещи и поспешил ретироваться. Его смущал мой зареванный вид.

Я дома. Дома и стены помогают. Стены, помогите мне!

И тут же раздался гулкий в этот час стук каблуков и отчаянный звонок в дверь. Я кинулась открывать. В квартиру буквально ворвалась Алевтина с Жукентием на руках, который при виде меня рванулся что было сил и оцарапал мою подружку задними лапами. Я подхватила его на руки.

— Жукочка, родной!

— Скотина неблагодарная! — проворчала Алевтина. — Целый месяц я тут над ним тряслась, а он... Кирка, опять?

— Да!

— Так я и знала! Знала, что этим кончится! Когда ты последний раз с ним говорила?

— Вчера.

— И он не приехал?

— Нет.

— Хорош, нечего сказать!

— А вдруг с ним что-то случилось?

— Случилось, ясное дело, страшный приступ переляку, знаешь такую болезнь?

Я всхлипнула, и Жука у меня на руках тоже судорожно всхлипнул. Соскучился, мое золотко!

— Да отпусти ты кота! Давай хоть поцелуемся! — потребовала Алевтина.

Я осторожно опустила Жуку на диван, и мы бросились друг другу в объятия. Тут уж я дала волю слезам.

— Вот новости — рыдаем из-за Марата! Давно не было!

— Я не из-за него, я из-за Дашки! Она так к нему привязалась!

— Погоди, мне надо выпить кофе! — Алевтина решительно направилась на кухню, я поплелась за ней. — Сейчас сделаю себе кофе, и ты мне все расскажешь.

Мы просидели до восьми утра, когда вконец умученная Алевтина заявила:

— Не пойду сегодня на работу, обойдутся! Я тут, у тебя, посплю. Дома все равно спать не дадут. Прошу только, разбуди меня в десять, я позвоню Смирнову, скажу, чтобы не ждал. Он, конечно, огорчится, но ничего, переживет.

И, едва положив голову на подушку, Алевтина уснула. Надо бы и мне поспать, да где там! Я ведь обещала позвонить Дашке. Но сначала я дождусь девяти и позвоню Марату. Этот номер телефона я помню двадцать один год. А если он сам подойдет? Сказать ему, как я его презираю? Не стоит, он и сам себя сейчас презирает. Ровно в девять я набрала номер. Сердце билось где-то в горле. Трубку снял, по-видимому, сын.

— Будьте добры, Марата Ильича.

— Его нет дома.

— Простите, а он здоров?

— Ну, три минуты назад, когда выходил из дому, был здоров. А кто это говорит?

Но я уже повесила трубку. Итак, все ясно. Теперь необходимо позвонить Даше. Чтобы ни одной лишней секунды иллюзий не было у моей девочки. В Тель-Авиве сейчас еще восемь утра, но я не могла больше ждать. Дашка мигом сняла трубку. Родной заспанный голос.

— Алло, мамуля, это ты?

— Да, деточка!

— Мама, что у тебя с голосом?

— Ничего.

— Мама, он... он не встретил тебя?

— Нет, не встретил.

— Мамочка, но, может, с ним что-то случилось, может, он заболел?

— Я только что говорила с его сыном, он сказал, что отец ушел три минуты назад вполне здоровый.

— Мама!

— Все, Дашенька, побыла неделю отцовой дочерью, и будет. Придется впредь довольствоваться только мамой. — Я говорила очень монотонно, чтобы не разрыдаться от жалости к себе и дочке.

— Мамочка, родная, прости меня, это я, я виновата, я так хотела, чтобы вы были вместе, а ты не верила, не верила, а я тебя убеждала, — уже в голос рыдала Даша.

— Нет, Данечка, твоей вины тут нет, мне самой так хотелось поверить ему...

— Мама, но почему, почему... Зачем были все эти планы, обещания, разговоры...

— Дашенька, деточка моя, давай дадим друг другу слово никогда больше не вспоминать о нем. Когда его не было в нашей жизни, нам ведь было совсем неплохо без него, разве нет?

— Да, конечно, ты права, прости, прости меня, мама, я и вправду не хочу больше слышать о нем, он ведь не только тебя, но и меня предал. Все. Забыто. А как же ты добралась?

— Вообрази, случайно встретила в Шереметьеве Ваську с Игорем, они кого-то провожали. Чем не повод для оптимизма?

— Мамуля, какая ты у меня молодчина! Ладно, хватит болтать, а то ты разоришься... без папочкино-го наследства,— ехидно добавила она. И я успокои-лась, все-таки она моя дочь.

Я вдруг ощутила зверский голод. И помчалась на кухню варить кофе и жарить яичницу. С этого я всегда начинала новую жизнь после очередной ката-строфы. Если можно утром встать, съесть яичницу с черным перцем, выпить кофе и получить от этого удовольствие — значит, жизнь продолжается. Я си-дела за столом, а Жука лежал на столе, смотрел на меня любящими желтыми глазами и мурлыкал от радости. Вот он-то уж точно не предаст!

В кухню приплелась заспанная Алевтина и мигом оценила ситуацию.

— Яичница с кофе? Новая жизнь? Вот и молодец. Так и надо. Я смотрю, ты жива, так, может, я
пойду на работу? А то Смирнов там без меня чахнет.

— Конечно, иди, я уж как-нибудь перебьюсь. Но
с работы давай сразу ко мне. Я привезла подарки и
всякие вкусности. Жду!

Вот так и потекла моя московская жизнь. О
Марате я старалась не думать. К счастью, Лерки не
было в Москве и можно было не бередить душу,
рассказывая ей об Израиле.

Двадцать седьмого вечером я вспомнила, что сегодня должен был вернуться Котя. Но я уже не
верила и Коте. Я позвонила Юрику и сказала, что
между нами все кончено. Он страшно удивился и
решил, что у меня просто дурное настроение. Двадцать восьмого и двадцать девятого Котя не позвонил.
Все, пора ставить крест на женской жизни! Мне уже
под пятьдесят — хватит, нагулялась.

Тридцатого в шесть утра раздался звонок в дверь.
Я испугалась.

— Кто там?

— Кузя! Открой!

— О Боже!

— Кузенька, открывай скорее!

— Сейчас, только халат накину!

Я сломя голову бросилась к шкафу, выхватила
оттуда чистый халат, успев сорвать с себя любимую
ситцевую рубашку и сунуть ее на дно шкафа.

Котя стоял на пороге с чемоданом, дипломатом и громадным ананасом в руке.

— Котя, откуда?

— Прямо из аэропорта! Я очень падок на дешевые эффекты!

Он вошел, закрыл за собой дверь, а я стояла в совершенном ошалении, придерживая рукой расходящиеся полы халата.

— Кузя, что с тобой? Ты мне не рада?

— Ох, Котя! — вырвалось у меня. — Я рада, я так рада!

Я прижалась к нему и разревелась.

— Так, понятно, — сказал Котя и взял в ладони мое лицо. — Ну все, все, дурочка, перестань плакать, я уже все простил, я ведь заранее знал, что так будет, — что ты не устоишь, а он опять тебя надует! Сначала я очень горевал, но потом решил — все естественно, двадцать лет перетягивают неделю, но я старый, умный и разбираюсь в людях. Поверь, он не стоит даже одной твоей слезинки. А со мной тебе будет хорошо. Я правда люблю тебя, честное слово! Знаешь что, чем плакать, свари-ка ты мне кофе и сделай яичницу. Я люблю начинать с этого новую жизнь.

Я обалдело уставилась на него. Боже мой, да мы же созданы друг для друга, как я могла думать о ком-то еще? Марат? Да к черту Марата, зачем он мне, если есть Котя?

...Часа в три дня я проснулась. Котя крепко спал рядом, а на подушке между нами клубочком свернулся Жука. Он признал Котю с первого взгляда.

Скоро Котя проснется, надо будет его покормить, а у меня в холодильнике, кажется, совсем пусто. Я пошла на кухню, заглянула в холодильник. Две куриные ноги, банка шампиньонов, сметана. Не так уж плохо. Я занялась обедом.

Через час появился заспанный, но уже одетый Котя.

— Кузя, я ничего не понимаю, куда девались мои носки?

— Они в ванной, я их постирала.

Литературно-художественное издание

Серия
«РУССКИЙ РОМАНС»

Екатерина Николаевна Вильмонт

ПУТЕШЕСТВИЕ ОПТИМИСТКИ,
ИЛИ
ВСЕ БАБЫ ДУРЫ

Редактор *А. В. Нарбекова*
Художественный редактор *О. Н. Адаскина*
Технический редактор *Н. А. Сперанская*
Корректор *Е. А. Рыбина*

ООО «Издательство «Олимп»
129085, Москва, пр. Ольминского, д. 3а, стр. 3
E-mail: olimpus@dol. ru

ООО «Издательство АСТ»
368560, Республика Дагестан,
Каякентский р-н, с. Новокаякент,
ул. Новая, д. 20
www.ast.ru
E-mail: astpub@aha.ru

Отпечатано с готовых диапозитивов в типографии издательства
“Самарский Дом печати”
443086, г. Самара, пр. К. Маркса, 201.
Качество печати соответствует предоставленным диапозитивам